HENRI GUILLEMIN

Mme DE STAËL,
BENJAMIN CONSTANT
ET
NAPOLÉON

PLON

MADAME DE STAËL, BENJAMIN CONSTANT ET NAPOLÉON

DU MÊME AUTEUR :

HISTOIRE LITTÉRAIRE

Le « Jocelyn » de Lamartine (Paris, BOIVIN, 1936).
Flaubert devant la vie et devant Dieu (Paris, PLON, 1939).
Lamartine, l'homme et l'œuvre (Paris BOIVIN, 1940).
Connaissance de Lamartine (Fribourg, L. U. F., 1942).
« Cette affaire infernale ». (L'affaire Rousseau-Hume) (Paris, PLON, 1942).
Un Homme, deux ombres. (Jean-Jacques, Julie, Sophie) (Genève, MILIEU DU MONDE, 1943).
Les Affaires de l'Ermitage (1756-1757) (Genève, ANNALES J.-J. ROUSSEAU, 1943).
La Bataille de Dieu. (Lamennais, Lamartine, Ozanam, Hugo) (Genève, MILIEU DU MONDE, 1944).
Les Écrivains français et la Pologne (Genève, MILIEU DU MONDE, 1945).
Lamartine et la question sociale (Paris, PLON, 1946).
L'Humour de Victor Hugo (Neuchâtel, LA BACONNIÈRE, 1950).
Victor Hugo par lui-même (Paris, SEUIL, 1951).
Hugo et la sexualité (Paris, GALLIMARD, 1954).
Claudel et son art d'écrire (Paris, GALLIMARD, 1955).
M. de Vigny, homme d'ordre et poète (Paris, GALLIMARD, 1955).
A vrai dire (Paris, GALLIMARD, 1956).
Iconographie de Lamartine (Genève, CAILLER, 1958).

PUBLICATIONS DE TEXTES

Lamartine :

Les Visions (Paris, BELLES-LETTRES, 1936).
Lettres des années sombres (1853-1867) (Fribourg, L. U. F., 1942).
Lettres inédites (1825-1851) (Porrentruy, LES PORTES DE FRANCE, 1944).
Antoniella (Porrentruy, LES PORTES DE FRANCE, 1945).

Victor Hugo :

Pierres (Genève, MILIEU DU MONDE, 1951).
Souvenirs personnels (1848-1851) (Paris, GALLIMARD, 1952).
Strophes inédites (Neuchâtel, IDES ET CALENDES, 1952).
Cris dans l'ombre et chansons lointaines (Paris, ALBIN MICHEL, 1953).
Carnets intimes (1870-1871) (Paris, GALLIMARD, 1953).
Journal (1830-1848) (Paris, GALLIMARD, 1954).

HISTOIRE

Histoire des catholiques français au XIXᵉ siècle (Genève, MILIEU DU MONDE, 1947).
Lamartine en 1848 (Paris, PRESSES UNIVERSITAIRES, 1948).
La Tragédie de Quarante-huit (Genève, MILIEU DU MONDE, 1948).
Le Coup du 2 Décembre (Paris, GALLIMARD, 1951).
Cette curieuse guerre de 70 (Paris, GALLIMARD, 1956).

ESSAIS ET RÉCITS

Une histoire de l'autre monde (Neuchâtel, IDES ET CALENDES, 1942).
Reste avec nous (Neuchâtel, LA BACONNIÈRE, 1944).
Rappelle-toi, petit (Porrentruy, PORTES DE FRANCE, 1945).
Par notre faute (Paris, LAFFONT, 1946).
Cette nuit-là (Neuchâtel, LE GRIFFON, 1949).

HENRI GUILLEMIN

MADAME DE STAËL, BENJAMIN CONSTANT

ET

NAPOLÉON

LIBRAIRIE PLON

8, rue Garancière — PARIS-6e

Pour recevoir gracieusement et sans engagement de votre part le *LISEZ PLON*, bulletin illustré d'informations sur nos collections, nouveautés et réimpressions, faites-nous connaître votre adresse.

AVANT-PROPOS

Mme de Staël, sous l'Empire, chacun le sait, personnifia « la liberté luttant contre le despotisme ». Ses *Dix Années d'Exil* sont ses Lamentations-Malédictions ; et Lamartine *(Destinées de la Poésie)* chantera le dithyrambe : Mme de Staël « ne pouvait respirer dans cette atmosphère de lâcheté et de servitude » ; « tribun sublime », elle était « à elle seule une conspiration vivante ». Ces choses-là, en un style plus calme, se répètent encore aujourd'hui. Vérités acquises. Quant à Benjamin Constant, inutile de rappeler (après lui, dans *Cécile*) qu'il essaya en vain, membre du Tribunat, de « mettre des bornes à la puissance despotique que les convulsions d'une République honteusement gouvernée avait laissé s'établir », qu'il fut exclu par le tyran de cette assemblée, que son opposition, dès lors, ne cessa plus contre le « lâche coquin » (*Journal intime*, 19-1-1814) auquel il régla son compte dans l'*Esprit de Conquête*. Il est vrai qu'il y a bien eu, pour Benjamin, un supplément qui déroute au premier abord. N'aurait-il pas servi le monstre, un instant, pendant les Cent-Jours ? Ce n'est rien. Constant avait ses raisons, sérieuses et nobles.

C'est l'histoire exacte des rapports de Mme de Staël et de Benjamin Constant avec Napoléon Bonaparte dont je voudrais ici esquisser les grandes lignes. Elle est peu connue, en dépit du bon livre qu'écrivit Paul Gautier, en 1903, sur *Madame de Stael et Napoléon*. (Manque encore l'autre volet du diptyque : Benjamin Constant et l'Empereur.) Depuis 1903, cependant, beaucoup de documents ont vu le jour. On en trouvera même ci-dessous quelques-uns d'ignorés.

Il y a près d'un siècle, dans son *William Shakespeare*, Hugo demandait que l'Histoire consentît enfin à « entrer dans la voie des aveux ». « Les meilleurs narrateurs, disait-il, même les honnêtes, même ceux qui se croient

libres, restent machinalement en discipline, rem-
maillent la tradition à la tradition, subissent
l'habitude prise, reçoivent les mots d'ordre,
achèvent, tout en se croyant historiens, d'user
les livrées des historiographes. »

Peu à peu, désormais — Dieu merci —
l'Histoire vraie, qui « manque de complaisance »,
bouscule l'Histoire écrite par les chambellans.

H. G.

I

LA
PUISSANCE ET LA GLOIRE
OU
LES ILLUSIONS PERDUES
(1796-1801)

Dans ses *Considérations sur la Révolution française*, Mme de Staël dira l'invincible éloignement, la répulsion, que lui inspira toujours Bonaparte, et le pressentiment qu'elle eut, dès qu'elle le vit, des malheurs dont allait accabler la France ce « *fatal étranger* ».

Au vrai, à peine le nom de Buonaparte avait-il commencé à retentir en France que Germaine avait tout mis en œuvre pour appeler sur elle l'attention du « *héros* ». Elle lui avait écrit, d'un élan spontané, plusieurs lettres — deux au moins — pendant sa campagne d'Italie, et Benjamin Constant, pour sa part, n'avait pas manqué de louer publiquement, dans son grand discours du 16 septembre 1797 au Cercle constitutionnel, le brillant guerrier qui faisait « *trembler Rome* ». On s'était d'autant plus intéressé à ce nouveau venu, du côté Ger-

maine-Benjamin, qu'il paraissait avoir chance
d'entrer au pouvoir, et Constant, non sans
quelque imprudence, signalera lui-même la
chose, en 1830, dans ses *Souvenirs historiques*.
Necker souhaitait ardemment, pour le bien
de la société, un « gouvernement fort » en
France et suivait avec espoir les progrès du
Soldat. Le 5 novembre 1797, le banquier
transmet à sa fille le propos, candide, d'un
de ses confrères, le financier genevois Natural :
« *Je voudrais bien que Mme la baronne eût un jour
du crédit auprès du grand général. Ce serait un bon
moyen pour mon affaire.* » Necker a prêté jadis
(1778) 2 millions au Trésor français (1). Excel-
lent placement, qui lui rapportait, chaque
année, 100 000 livres (en chiffres ronds : 40 mil-
lions-1959); la Convention, hélas, en 1793
(Necker ayant déjà gagné ainsi 1 500 000 francs,
soit 600 millions-1959) a suspendu le verse-

(1) Mme de Staël répétera beaucoup que ces 2 millions représentaient « la moitié de la fortune » de son
père. Cette « fortune », par conséquent, aurait donc été,
au total, de 4 millions (soit 1 milliard et 600 000 francs,
à peu près, en monnaie d'aujourd'hui). Mais, comme
on le pense bien, Mme de Staël ne disait pas la vérité,
et les capitaux de Necker dépassaient largement 4 millions. L'héritage de Mme de Staël, en 1817, sera de
5 millions.

ment de ces intérêts. Si quelque régime militaire, un régime « d'ordre », par conséquent,
s'installait à Paris, tout porte à croire que
Necker récupérerait, au moins, son capital. Le
banquier n'a nul besoin d'encourager sa fille
à conquérir le conquérant. Elle ne pense qu'à
cela. Elle parvient à le rencontrer une première
fois, le 6 décembre 1797, chez Talleyrand, mais
il y a foule et il ne lui dit que trois mots quel-
conques; et une seconde fois chez le ministre
de l'Intérieur où c'est la cohue, de nouveau.
Comme Bonaparte ne la remarque point, Germaine invente une petite ruse dont ses *Dix
Années d'Exil* donneront la version que voici
(texte du manuscrit, supprimé dans l'édition) :
« *Je me trouvai à ses côtés, d'abord sans le reconnaître,
quand tout à coup je m'aperçus que c'était lui; j'en
éprouvai un tel saisissement* [d'effroi, d'horreur]
*que je me reculai pour le laisser passer, avec une
exclamation involontaire* ». Le Soldat sourit, et
passe. Encore un entretien manqué. Enfin, à
l'issue d'un repas où Germaine avait réussi
à se faire placer entre Sieyès et lui, elle parvient
à le saisir. Elle est très anxieuse des desseins
militaires que l'on prête au Directoire contre
la Suisse et se tourmente sur le sort de ses

« droits féodaux », à Coppet. L'invasion du pays de Vaud aura lieu, mais tout ira bien pour ses revenus.

L'année suivante, dans la brochure qu'elle rédige, *Circonstances actuelles*, Mme de Staël glisse un paragraphe en l'honneur de « *l'intrépide et généreux Bonaparte* ». Le Directoire n'a toujours pas rendu les millions de Necker, malgré une poignante supplique du banquier. Il faut en finir avec ce gouvernement misérable et, quand Germaine apprend, le 15 octobre 1799, que Bonaparte, à l'improviste, revient d'Égypte, elle frémit de joie : « *Grand événement!* » Bonaparte arrive, toutes griffes dehors, parce qu'un coup d'État se prépare, il le sait, du côté des nantis. Il entend être de la curée et, si possible, la conduire. Mme de Staël racontera, dans ses *Considérations*, l'émotion qui fut la sienne, le 18 Brumaire. Certes, dit-elle, « *la majorité des honnêtes gens, craignant le retour des Jacobins, souhaitait que Bonaparte eût l'avantage* »; mais le succès de Bonaparte, c'était le triomphe de l'autocratie, et Germaine sentit, ce jour-là, les larmes « *l'étouffer* »; elle pleura la liberté morte. Prêtons l'oreille à ses sanglots.

Nous n'avons pas les lettres qu'elle écrivit

alors à son père, mais nous connaissons les
réponses de Necker. Elles sont éloquentes. Le
vieux monsieur est très content. Le 25 Brumaire, il remercie sa fille de la lettre, enivrée,
qu'elle lui a adressée le 20 : « *Tu me peins avec
des couleurs animées la part que tu prends à la gloire
et au pouvoir de ton héros* »; et ceci, du 28 Brumaire : « *Voilà donc un changement de scène absolu.
Il y aura un simulacre de République et l'autorité
sera toute entre les mains du général.* » Parfait.
Je suis persuadé, dit Necker, que le nouveau
régime « *donnera beaucoup aux propriétaires, en
droits et en force* », et il comprend « *l'enthousiasme* » de Germaine « *pour Buonaparte* ».
Toujours prompt aux alarmes, le banquier note
pourtant que le nouvel ordre reposera tout
entier « *sur une vie* », mais il veut faire confiance au Ciel : « *Buonaparte est jeune et la Fortune nous le conservera.* »

Constant, de son côté, avait travaillé de son
mieux, dans l'ombre, au succès de l'opération.
Il s'appuyait surtout sur Sieyès, et « le prêtre »
n'était guère occupé que de ses propres combinaisons. En vain Talleyrand, au mois d'octobre 1797, pour complaire à Germaine, avait
essayé d'introduire Benjamin dans le bureau

de presse que Bonaparte constituait en Cisal-
pine. L'affaire n'avait pas eu de suite et l'amant
de Mme de Staël n'était pas parvenu plus
qu'elle-même à s'insinuer dans la société familière du Soldat politicien. Au lendemain du
18 Brumaire, B. C. trouve que Sieyès est bien
long à lui octroyer son pourboire. Le 24 Brumaire, puis le 22 Frimaire, il se rappelle, par
des messages confidentiels (« *Pour lui seul, en
mains propres* ») au « *Citoyen Consul Sieyès* »
(*Consul de la République* », dit la suscription du
premier billet; « *Consul* » tout court, dit celle
du second, un mois plus tard). Sieyès, odieux,
ne fera rien pour Benjamin. C'est encore Germaine qui fera tout, grâce à Joseph Bonaparte,
qu'à défaut de son frère elle a pu combler de
caresses et qui s'en est vu tout attendri. Elle
veut un poste pour Benjamin; un bon poste,
bien rétribué. La place d'un esprit à ce point
distingué est au Tribunat, certainement, où se
rassembleront les penseurs. « *Joseph me tour-
menta*, dira Napoléon à Sainte-Hélène, *pour faire
nommer Benjamin Constant au Tribunat* [...]. *Je
finis par céder.* »

Le 24 décembre 1799, jour même où Bonaparte devenait Premier Consul, la nomination

de B. C. au Tribunat était signée. Il arrivait enfin. Son traitement de tribun était de 15 000 livres (soit environ 6 millions de francs-1959).

Mais Constant va faire, tout de suite, une fausse manœuvre. Sieyès ayant été écarté du pouvoir (pour mieux dire, s'en étant laissé volontairement écarter, comme avait fait Barras, à la veille du 18 Brumaire, et de la même manière : un château, un domaine, et une immense dotation pour prix de leur retour à la vie privée), Benjamin a cru fort habile de jouer à l'opposant; un opposant respectueux, bien sûr, du type anglais. Son but serait de s'établir, au Tribunat, chef de l'opposition constitutionnelle. Le 5 janvier 1800, il prononce un discours revendiquant pour l'assemblée à laquelle il a l'honneur d'appartenir un contrôle plus sérieux des actes du gouvernement, et il a mis dans sa harangue une phrase qui ressemble assez à une critique du Général-Premier Consul. Constant reproche en effet aux triumvirs de vouloir conduire tambour battant leurs propositions de loi et leur « *faire traverser* », dit-il, l'examen du Tribunat « *comme une armée ennemie* ».

Bonaparte prend la chose très mal. Où se croit-il ce petit monsieur? A Londres? Il est à Paris, et domestique comme les autres. C'est Bonaparte, personnellement, qui lui a octroyé sa place et ses 15 000 livres. Drôle de façon d'attester sa reconnaissance! A quoi joue-t-il? Qu'est-ce qu'il lui prend? La « femme Staël », c'est l'évidence, lui a soufflé cette incartade. On la tient en dehors du cercle où tout se décide, et elle se venge. A la niche, la baronne et son aboyeur! Sur-le-champ! Bonaparte lâche ses journalistes, et cela fait un joli vacarme. Le *Journal des Hommes Libres* dénude avec grossièreté le souci de Mme de Staël quant aux « millions » de M. Necker, et conclut son article comme suit : « *Vous savez le chemin de la Suisse? Essayez-y donc un voyage* [...] *et emmenez votre Benjamin!* » (8 janvier). Plus grave encore a été, la veille, dans la même feuille, une allusion très véridique à la « *nomination inconstitutionnelle du suisse Constant* », et l'*Ange Gabriel*, gazette très lue dans les salons, va jusqu'à l'indécence; elle fait parler Mme de Staël, qu'on entend expliquer à son petit ami : « *Nous avons le pied à l'étrier; la France est à nous* [...]. *Criez, tempêtez, faites du bruit. Je connais le pays; c'est*

le moyen de réussir »; puis c'est Germaine mono-
loguant tout haut : « *Benjamin sera Consul;
je donnerai les Finances à papa; mon oncle aura la
Justice; mon mari une ambassade lointaine, et moi
j'aurai l'inspection sur tout.* »

Germaine et Benjamin sont atterrés. Quel pas
de clerc ils ont fait là! Constant, dès le 7 janvier au matin, s'est précipité chez Réal, un ami
— ancien membre de la Commune de Paris,
Réal, par la grâce de Brumaire, est devenu
conseiller d'État en attendant de passer comte
et de diriger la police impériale — et il l'a
supplié d'intervenir en sa faveur auprès du
Premier Consul (1); il lui a même remis,

---

(1) Tout cela devant rester très secret, B. C. estimera
pouvoir, sans péril, déclarer noblement, le 3 juin, à son
oncle Samuel : la « faveur » du Premier Consul, « je
n'ai rien fait pour la conserver, quand je l'avais, *ni pour
la regagner quand je l'ai crue perdue.* » Et il ajoute, de ce
ton qui est le sien, toujours, dans ses lettres à sa parenté,
faites pour servir de thème à ce qu'il lui importe que
l'on dise de lui, à Genève et à Lausanne : « *Aucune
considération humaine ne me fera faire le sacrifice de ce que
je croirai bien, ou utile, ou honorable* [...] *J'ai placé ma récompense dans l'opinion d'hommes tels que vous.* »
    J.-J. Coulmann, ce bon jobard, prononcera, dans ses
Réminiscences : Benjamin Constant, dans « *sa correspondance familière* [...] *ne posait jamais* »; « *il ne se rappelait
pas avoir écrit une seule lettre qui fût destinée à être montrée* [...] *Il était toujours vrai, avec tout le monde, et cette
comédie d'une expansion privée avec la perspective d'une com-*

semble-t-il, une note explicative qui doit faire
sentir au général à quel point il se tromperait
en donnant une interprétation agressive ou
seulement irrespectueuse, aux paroles prononcées, l'avant-veille, par un homme tout
dévoué à sa gloire. Et, le 7 janvier au soir,
B. C. adresse à Réal le billet ci-dessous :

17 nivôse.

Vous avez été trop aimable pour moi
ce matin pour que je ne vous prie pas de
l'être encore en me donnant des nouvelles
du résultat de votre conversation et de ce
qu'on vous aura dit après une lecture qui a
dû, je m'en flatte, détruire les impressions mal
fondées que la malveillance a voulu donner.
Je n'oublierai jamais votre extrême obligeance et je vous voue une reconnaissance
profonde.
Marquez-moi par un mot si je pourrai
vous voir, soit au Tribunat, soit ailleurs.
Salut. Amitié.

Benjamin CONSTANT.

Quant à Germaine, elle adjure Rœderer, qui
est puissant, de les protéger, elle et Benjamin.

---

munication certaine à d'autres, répugnait à sa franchise ».
(*Réminiscences*, III, 75).

Elle affirme également qu'il y a méprise, que l'on a prêté aux paroles de B. C. un sens qu'elles n'ont jamais eu; que toutes ces attaques des journaux sont non seulement indignes mais absurdes, mais insensées : « *C'est une véritable folie que cette persécution!* » Comment pouvez-vous nous supposer, dit Germaine, à Benjamin et à moi, des intentions hostiles à l'égard de l'Autorité? « *Où trouverez-vous des gens plus intéressés que nous* [elle ne saurait mieux dire] *à ce que les Jacobins ne gouvernent pas?* » Et moi, s'écrie-t-elle, moi, Rœderer, voyons, comment le général pourrait-il suspecter mon loyalisme? « *Quelle femme s'est montrée, dans tous les temps, plus enthousiaste que moi de Bonaparte?* » (9-1-1800).

Le vieux Necker n'avait pas lu sans appréhensions le discours de Benjamin. « *J'aurais voulu*, écrivait-il aussitôt à sa fille, *j'aurais voulu, pour la première fois, quelque chose de plus modéré* [...] *Il s'est trop fié à son admiration pour Buonaparte et n'a pas assez surveillé ses mots et ses tournures* »; et lorsqu'il apprend que le Pouvoir a conseillé à Germaine une petite retraite dans sa maison de campagne à Saint-Ouen, il s'afflige (18 janvier) : « *L'acte de disgrâce est doux, mais qui m'eût dit que tu eusses pu en éprouver aucun de la*

*part du Grand Consul, lorsque toutes tes lettres
n'ont été remplies que d'enthousiasme pour lui!* »
Tout s'arrangera, pour Benjamin du moins;
mais l'alerte a été tragique, et Germaine reste
mal vue. En vain elle a multiplié les avances.
Le jour où le Premier Consul a pris officielle-
ment possession des Tuileries (19 février), elle
était déjà là, au premier rang, les yeux illu-
minés, pour l'applaudir, et il n'a regardé
personne. Elle a mendié auprès de Talleyrand
une invitation à son bal du 25 février où
Bonaparte sera l'hôte d'honneur, et Talleyrand l'a dissuadée d'y paraître. On lui dit
même que l' « évêque » — un monstre d'in-
gratitude! — la dessert tant qu'il peut auprès
du Chef. Elle compte sur son ouvrage *De la
Littérature* pour accroître son illustration et
donner au Maître l'idée de la prendre pour
Égérie, rôle qu'elle souhaiterait par-dessus tout;
mais Bonaparte goûtera peu ce livre. Le « héros »
annonce qu'il va se rendre à Genève au mois
de mai. Bonheur! Necker pourra lui faire sa
cour. Dans ses *Dix Années d'Exil*, avec une
remarquable inexactitude, Germaine écrira :
« *Comme il* [le Premier Consul] *témoignait le
désir de voir M. Necker, mon père se rendit chez*

lui ». C'est Necker, au vrai, qui s'est précipité; et il a vu le dieu, qui l'a intimidé au point que le banquier n'a pas osé lui souffler mot des deux millions. (Bonaparte, qui ne l'avait encore jamais vu, l'a trouvé comique; « *un lourd régent de collège, bien boursouflé* », dira-t-il). Mais, enfin, ils ont parlé, et le général s'est montré aimable. Quant à Benjamin, qui tremblait, et qui avait fait la leçon, fiévreusement, à son oncle Samuel : attention! attention! pas un mot, à qui que ce soit, dans l'entourage du Maître, sur nos origines! je dois passer, à tout prix, pour un Genevois de vieille souche (Genève ayant été annexée à la France en 1798, c'est le seul biais qu'il a trouvé pour se faire réputer « Français-né »), il respire. L'ami Candolle, devant Bonaparte qui s'informait, qui l'interrogeait : Constant est un Vaudois n'est-ce pas? Candolle a menti avec un aplomb superbe : Un Vaudois, Constant? Mais il n'y a pas plus Genevois que lui!... Ouf (1)! B. C.

----

(1) Plein d'anxiété, Constant, le 19 mai 1800, avait interrogé son oncle Samuel : « *Comme il* [le Premier Consul] *se sera trouvé environné* [à Genève] *de personnes dont l'une ou l'autre aura, par hasard, pu prononcer mon nom, et que ce nom a pu réveiller en lui différents souvenirs* [certes!], *comme il s'est trouvé bien à même, s'il y a pensé* [Dieu veuille

est guéri, désormais, de toute velléité d'opposition. Il a vu le moment, en janvier, où on lui
retirait son emploi, et il en a eu la petite mort.
Sage, maintenant, sage à ravir, le « tribun ».
Il s'accommode parfaitement du rôle nul, mais
lucratif, que le Premier Consul assigne aux
figurants du Tribunat, et Germaine, le
8 juin 1800, peut écrire à l'oncle Samuel que
tout va bien pour Benjamin dans sa sinécure;
c'est « *un rentier à* 15 000 *livres* », dit-elle, ce
qui n'est déjà pas si mal.

que non!] *de vérifier des questions dont mes ennemis avaient
provoqué l'examen* [cette horrible question de sa natio-
nalité française], *enfin, comme il a pu apprendre différentes
circonstances de ma vie que je n'avais ni publiées ni cachées,
mais qui pourraient être sujet de calomnies* [quels secrets
gênants font donc ainsi trembler Benjamin? Des
« faits dénaturés », dit-il, et des « circonstances défi-
gurées »...], *il m'importe de savoir s'il a parlé de moi et ce
qu'il peut en avoir dit.* » Rassuré, le 3 juin, B. C. regrette
de s'être ainsi découvert, le 18 mai. L'oncle n'a deviné
que trop ses angoisses, et il importe au « tribun » que
l'on ne se doute point, à Genève, des transes qu'il a-
traversées. Aussi explique-t-il maintenant au vieux monsieur bavard que s'il a souhaité ces informations sur ce
que Bonaparte aurait pu dire, le concernant, c'était
« *comme fait* », seulement, et « *non comme devant influencer
ma conduite* », B. C. désirant uniquement mesurer le crédit
que ses ennemis personnels, des jaloux, pouvaient avoir
sur le Premier Consul, « *chose qui ne serait pas indifférente
à savoir pour la chose publique* » *(sic)*, c'est-à-dire pour le
bien de l'État.

Le public auquel sont destinées les *Dix Années d'Exil* devra savoir qu'au printemps 1800, Mme de Staël appelait de ses vœux une défaite des armées françaises en Italie : « *Je souhaitais que Bonaparte fût battu.* » Cependant, le 20 mai, de cette année-là, Germaine demandait au Zürichois Meister : « *Avez-vous pu résister à la curiosité de voir le héros? Il va conquérir l'Italie* »; et, le 4 juillet, écrivant à Gérando, elle saluait avec grandeur la victoire du Premier Consul : « *Rien n'a l'éclat de Marengo et il faut convenir que s'exposer, sa fortune faite, est plus brillant que de s'exposer pour la faire.* » Gérando n'est pas Rœderer; il appartient au petit groupe où Germaine joue son personnage de « philosophe »; aussi revêt-elle devant lui l'allure sévère d'une qui n'accorde qu'à bon escient son estime; et si la voilà, aujourd'hui, sans objections à l'égard du système, c'est que le système mérite pleinement son appui. Dignité d'abord. On se tromperait en comptant sur elle pour des flagorneries. Mme de Staël est une conscience; elle ne loue que lorsqu'elle trouve que l'on a droit à ses louanges; c'est le cas, à présent; « *les gouvernementalistes seront bien contents de moi cet hiver, du moins ceux qui*

veulent la louange sans la bassesse. » Comprenons
son jeu très limpide. Les Tuileries la dédai-
gnant, Germaine a fait de nécessité vertu :
c'est elle qui se tient à distance, exprès, leçon
vivante; elle n'est point satisfaite de la politique; la « liberté » souffre; Mme de Staël
plisse le front. Elle a espéré, que Bonaparte
se ferait battre en Italie, tuer peut-être. Et il
a gagné, une fois de plus; il est triomphant
comme jamais. D'où l'unique issue pour elle :
feindre que tout va bien, politiquement; qu'elle
approuve; qu'elle hoche la tête avec bonté;
qu'elle est assez subjuguée, même; Bonaparte
est décidément un être exceptionnel. Germaine
a décidé (que faire d'autre?) de se rendre irré-
prochable, et elle désire qu'on le sache en haut
lieu. Les semaines s'écoulent, et les mois. Aucun
signe favorable ne lui vient des Tuileries. Elle
regagne Paris en novembre et constate amère-
ment qu'on la repousse toujours. L'irrépro-
chable est morfondue. « *Quelle peinture désespé-
rante* », lui dit son père, le 24 novembre, tu
me fais de ta vie! Eh quoi, « *tu es faible avec
tant de raisons d'être forte?* » « *Qu'importe que tu
ne sois pas invitée aux fêtes publiques!* » Et, le
mois suivant : « *Laisse-toi chercher, tu le mérites*

bien, et apprends à mépriser. » Si le mépris était payant, Germaine ne demanderait pas mieux que d'être méprisante; mais le « mépris » à l'égard du Maître, lorsque l'on n'est qu'une « faible femme », ne vous rapporte qu'isolément, abandon, supplice...

Tout à coup (24 décembre 1800), l'attentat de la rue Saint-Nicaise. La machine infernale venait des royalistes, mais Bonaparte a estimé plus opportun de déclarer la bombe « terroriste ». Ce n'est pas Mme de Staël qui lui en voudra de frapper sur les Jacobins, Montagnards, Babouvistes et autres ennemis de la Société. Le danger suprême, pour elle, est du côté de la « canaille ». « *Comme le Premier Consul échappa* », écrira Germaine, sarcastique, en 1811, « *tout le monde lui témoigna un vif intérêt [...] et il put voir une nation qui tendait le col au joug* » (*Dix Années d'Exil*, I, V). Mme de Staël se persuade qu'aucun lecteur de son Récit ne connaîtra la lettre que lui adressait son père, au lendemain de l'attentat (Je pense que tu « *jouis pleinement* » de ce bienfait de la Providence qui nous a conservé « *le protecteur de tous les gens de bien, et le tien particulièrement, car tu aurais eu ta grande part de risques dans un*

bouleversement »), ni sa propre missive du 28 décembre 1800 à Joseph Bonaparte; Mme de
Staël y bénit le ciel d'avoir préservé la vie du
héros : « *Jamais*, dit-elle, *il n'a excité un intérêt
plus populaire* [...]; *les fonds sont plus hauts que
jamais; les négociants parfaitement satisfaits; depuis
le* 18 *Brumaire, il n'y a pas eu de moment où l'esprit public soit plus monté en faveur de Bonaparte.* »

Germaine continue désespérément à se jeter
à la tête du Premier Consul, et il reste de glace,
insensible, le regard ailleurs, comme si elle
n'existait pas. « *Je me suis toujours affligé*, lui écrit
son père, le 5 janvier 1801, *de ton amour malheureux pour le Général Consul, mais s'il fait le
bonheur et la gloire de la France, tu auras un dédom-
magement.* » Chétive consolation. Au printemps 1801, Mme de Staël parvient à se trouver
à table avec lui, enfin, comme en 1797. C'est
chez les Berthier cette fois; mais Bonaparte
se borne aux politesses les plus brèves. Il fait
cependant des choses excellentes, comme cette
suppression, en avril, du *Journal des Hommes
libres;* mais d'autres feuilles, payées, s'obstinent à être désobligeantes, et Germaine en est
ravagée. Elle a quitté Paris en mai, pour travailler en Suisse à son roman *Delphine*, et, le

31 août, elle signale à Joseph qu'elle s'attardera
à Coppet jusqu'à la fin de l'automne, sans
doute, « *dans une solitude absolue* ». « *Cette vie
inoffensive*, ajoute-t-elle, *désarmera*, *je l'espère*,
toutes les ridicules méchancetés de l'hiver dernier ».
Comme elle a, néanmoins, un langage appro-
prié selon ses correspondants, Germaine, le
23 octobre, laisse entendre à Meister que si
les Français ont quelques raisons de bénir Bonaparte, ils en ont d'autres pour le trouver un
peu pesant, car « la liberté » n'est plus guère
chez eux qu'un fantôme. Discrètes et tout
intimes confidences. Rentrée à Paris en novembre, comme l'année précédente (assez tard,
expliquera-t-elle en 1811, pour s'épargner l'irri-
tant spectacle « de la grande fête de la paix »;
en fait afin d'esquiver la mortification, trop
certaine, de n'y être point conviée), elle n'envoie à son père que des lettres funèbres. « *Ta
mélancolie me fait une peine extrême* », lui dit-il,
le 6 décembre. Elle est un peu fâchée avec lui.
Pour une fois, il ne lui a pas cédé. Elle l'avait
tourmenté, à l'automne, pour qu'il vînt passer
l'hiver dans son hôtel parisien. Elle y voyait
une attraction à demeure, ainsi, chez elle (le
grand Necker de nouveau à Paris !) et la foule

officielle, peut-être, retrouvant le chemin de
son salon. Le podagre s'était entêté à ne pas
quitter Coppet. Toujours le désert, alors, pour
elle, et cette vie en marge! Dire qu'elle n'a
même jamais été « *présentée à Mme Bonaparte* »!
Cependant, le 30 décembre 1801, à l'improviste,
sous sa plume, un billet pimpant à Joseph.
Germaine se déclare ravie; « *on me traite très
bien cette année* » et elle redit à Monsieur-frère
sa reconnaissance invariable; vous vous sou-
venez de janvier 1800? Mon Dieu, quel drame!
« *Que serais-je devenue, il y a deux ans, sans votre
intérêt?* »

Qu'est-ce que cela veut dire? Qu'est-ce qui
se passe? Pourquoi cette allégresse affectée par
Germaine, alors qu'on la laisse toujours dans
son coin, où elle pleure, où elle rage? Si
Mme de Staël attache brusquement tant de
prix, fin décembre 1801, à remettre en mémoire
à Joseph l'étendue de sa bienveillance, c'est
qu'un nouveau malheur a bien l'air de se préparer. Des rumeurs courent sur l'intention
qu'aurait le Premier Consul d'épurer le Tribunat. Pourvu que Benjamin ne soit pas de la
charrette! Germaine a confié ses angoisses
à son père, et Necker, le 17 janvier (le jour

même, hélas! où tombera la foudre), évoque
dans une lettre le « *chagrin* » dont elle lui a
parlé, ce « *projet d'élimination, au Tribunat, dans
lequel un de tes amis pourrait bien être compris* ».
Toujours attentif à la secourir, et persuadé,
raisonnablement, que la censure ouvre ses
lettres, le vieux monsieur se hâte de dire qu'il
espère bien ces craintes vaines : le dernier discours de M. Constant (sur le Code civil) a été
vraiment « *fort sage, fort modéré* », et tout ce qui
compte, dans la société genevoise, l'a beaucoup
admiré. Germaine, devant Joseph, croit subtil
de cacher sa peur. Elle est à mille lieues d'avoir
peur. Au contraire, euphorie totale. Elle est
tranquille, elle est heureuse, et sait qu'elle
mérite de l'être, en raison de sa bonne conduite.
Puis, comme en passant, au hasard de son
bavardage, elle demande à son correspondant
s'il lit, dans les journaux, les délibérations du
Tribunat. Il devrait le faire. C'est instructif
et touchant à la fois. Ces bons tribuns sont si
consciencieux! Ils ont, dans l'ensemble (« *trois
ou quatre individus* », exceptés; cette indication
est de 1811; *Dix Années d'Exil*, I, IX) un si
grand désir de bien faire, de se rendre utiles!
« *Ils mettent à leurs discussions plus d'intérêt que*

le public. » Et Benjamin, notamment, fait preuve d'une telle bonne volonté ! « *De l'avis général* », ses interventions sont pleines d'autant d' « *esprit* » que de « *talent* ». Voilà. C'est fait. La phrase capitale est dite, raison d'être de cette lettre. Et Germaine, ausi naturellement que possible, saute à un autre sujet : le Premier Consul va se rendre à Lyon ? Bonne idée. Il y « *sera reçu, m'écrit-on, avec transport* ».

Mme de Staël, passionnément, veut croire que cette lettre à Joseph ira sous les yeux du Maître. Qu'on ne touche pas à Benjamin, à son job, à ses 15 000 livres ! Le geste serait d'une barbarie sans nom. Depuis sa maladresse, ancienne et pardonnée, du 5 janvier 1800, Benjamin Constant n'a pas cessé d'être exemplaire. Pas une syllabe, sur ses lèvres, dont l'autorité ait pu prendre ombrage. Un serviteur hors ligne, et d'autant plus précieux qu'il constitue, en sa personne de fructidorien rallié, un exemple, et comme une réclame permanente en faveur de l'adhésion des républicains à la dictature consulaire. On ne va pas le frapper, tout de même ! Politiquement, et pour le bien public, pareille erreur serait un crime.

II

LA CASSURE DE 1802

OU
LES CRIS ET LES GÉMISSEMENTS

Or la catastrophe se produit. Le crime a lieu. Le 17 janvier 1802, avec un certain nombre d' « idéologues » de son espèce, Benjamin Constant est éliminé du Tribunat.

Il cuve sa colère; une colère où Germaine est largement enveloppée et bénéficie de rancunes furieuses. C'est la seconde fois dans la carrière de son amant, qu'elle lui porte ainsi préjudice. Elle l'a constamment compromis. Elle ne sait pas tenir sa langue. Elle parle à tort et à travers. Ce qu'elle a dit — et par écrit, la folle! — à Meister, en octobre 1801, elle l'a débité de même, avec une imprudence inconcevable, à des tas de gens dans son salon. La liberté! La liberté! Les femmes, en politique, ne connaissent rien à l'usage du vocabulaire. Il y a des temps où il est juste et profitable d'arborer tel drapeau, et d'autres où le bon sens commande de replier soigneusement l'éten-

dard. Germaine vient de lui refaire (sans le
vouloir, soit; et après)? le coup des élections
de 1798. Il devait être élu, à cette date. Et
c'était le nom de Mme de Staël, toujours accolé
au sien (1), qui avait provoqué son échec.
(D'où sa lettre, incandescente, du 15 mai 1798,
à la tante Nassau.) *Cécile* (1809) révélera ces
rancœurs que Benjamin mâche et remâche; on
y apprendra que « Mme de Malbée » — autrement dit Germaine — a « *contrarié* » son avancement, qu'elle lui a nui, de mille manières,
par « *son imprudence* », ses « *liaisons contradic-
toires* », son perpétuel « *besoin de faire effet* »
(*Cécile*, Ép. III). Ah, si elle n'avait pas sa colos-
sale fortune, avec quelle joie Benjamin l'en-
verrait au diable! Il avait été sur le point de
le faire, en 1798, mais Germaine lui avait

---

(1) Le 12 juin 1815, Constant, pour ne pas verser
à Mme de Staël l'argent qu'elle lui demande, l'ayant
menacée de livrer au public certaines lettres qu'il a
reçues d'elle autrefois, Mme de Staël, à son tour, lui
rappellera qu'elle aurait, elle aussi, de curieuses lettres
de lui à révéler; celles notamment, où toujours entretenu par elle, il la suppliait néanmoins, pour ne point
compromettre ses visées politiques, de déclarer, osten-
siblement qu'ils avaient cessé de se voir : « *J'ai dix
lettres de vous*, lui dira-t-elle, ce 12 juin 1815, *qui me
conjurent de marquer que je n'ai plus aucun rapport avec
vous.* »

rendu, en toute hâte, un tel « service d'argent »
qu'il s'était ravisé. Au début de 1802, ce n'est
pas le moment de se brouiller avec elle; son
mari n'a survécu que par miracle à une attaque
qui l'a laissé à demi-mort; il ne peut plus
tarder à disparaître. Le 9 mai 1802, Eric-
Magnus vide la place, et toute la famille Constant, alors, retient son souffle. Rosalie, frémis-
sante, écrit à Charles : « Immanquable » —
enfin! enfin! — le mariage, ce mariage Ben-
jamin-Germaine qu'elle appelle depuis tant
d'années. Si Germaine, pusillanime, a reculé,
hier (1796-1797), devant le divorce, la voilà
veuve, à présent, et libre; elle va donc pouvoir
épouser Benjamin; elle le lui doit, surtout maintenant. A nous le Pactole! Benjamin attend.
Il attendra en pure perte.

De tout le règne de Bonaparte, jusqu'à la
veille de l'écroulement, Benjamin Constant ne
bougera plus. Amer, grinçant, exsudant du
fiel, ricanant à voix basse (cf. ses lettres à
Mme de Nassau), mais muet en public avec
un soin extrême. Il y gagnera, quant à lui,
d'échapper aux rigueurs que Mme de Staël
attirera sur elle, incapable qu'elle est d'imiter
ce sang-froid que garde en toute occasion,

lorsqu'il s'agit de choses sérieuses, le futur conseiller d'État de l'Empereur.

*_**

Toute l'année 1802, Germaine entasse les sottises. Non contente d'accabler de sarcasmes la chienlit gothique du jour de Pâques, à Notre-Dame, pour le Concordat, elle a rêvé de nouveau la chute de Bonaparte et comploté, positivement, avec l'équipe des Macdonald, des Delmas et des Donnadieu. Elle-même s'en vantera. « *Pendant toute cette négociation très dangereuse, je voyais souvent le général Bernadotte et ses amis* » (*Dix Années d'Exil*, I, IX). Benjamin reste dans ses terres, en Seine-et-Oise, et considère, de loin, Germaine avec une pitié narquoise. On peut entrer dans une conspiration, ou du moins en frôler les bords, lorsqu'il s'agit d'un gouvernement faible, et quand les chances de l'entreprise sont à cent contre une. Mais en 1802, contre Bonaparte ! Démence. Germaine, cependant, ne se connaît plus. C'est le Concordat, surtout, qui la met dans cet état de transe. Elle aiguillonne les conjurés : vite ! vite ! pas une minute à perdre ! « *Demain le Tyran*

aura 40 000 *prêtres à son service !* » Comme si ce
n'était pas déjà fait ! Et la police du Premier
Consul n'est pas une amusette. Une mécanique
formidable. Bonaparte sait tout ce qu'elle fait,
tout ce qu'elle dit, la trépignante. Les conjurés
sont arrêtés ; Bernadotte ne passe au travers
que parce qu'il s'appelle Bernadotte, et Germaine peut s'estimer heureuse de n'être point,
personnellement, inquiétée.

Elle a voulu ensuite mobiliser les penseurs
contre le projet de Consulat « à vie ». Son pen-
seur ordinaire serrant les lèvres avec obstination, c'est par Camille Jordan qu'elle essaie
de le remplacer. Grand bien leur fasse à tous
les deux ! Puis elle invente de pousser son père
à publier un manifeste : « *Dernières vues de
Politique et de Finances, offertes à la nation française par M. Necker.* » Cette pâteuse rhapsodie,
le « régent de collège » l'avait depuis des mois
dans ses tiroirs. Il l'avait reprise pendant l'été
de 1801, voulant à toute force se faire entendre
encore une fois sur cette terre. « *Je ne pouvais
me résoudre*, dira Germaine (*Dix Années d'Exil*,
I, VIII) *à étouffer ce chant du cygne* » ; mais
elle conviendra que ce « chant » lui semblait alors mal venu. « *Je sentais très bien les*

*dangers que me ferait courir un ouvrage qui dé-
plairait au Premier Consul* »; et elle avait pu
dissuader son père d'imprimer, pour le moment. Été 1802. Les ménagements ne sont plus
de saison. Si la voix de Benjamin subit, par
malchance, une légère extinction, celle, autrement puissante, de M. Necker va faire réfléchir
les Français. Le père et la fille ont revu le texte
de ces *Novissima Verba*. Ils l'ont rajeuni, ai-
guisé. Les *Dernières Vues de M. Necker* prennent
l'allure d'un avertissement donné au citoyen
Bonaparte. Les formes requises y sont; le Premier Consul s'appelle « *l'homme nécessaire* »;
mais on lui notifie qu'il aurait tort de s'imaginer
pouvoir instaurer en France, à son profit, « *une
monarchie héréditaire.* » Halte-là! Et Necker, pon-
tifiant, énumère les règles d'une saine administra-
tration.

Le côté drôle de toute cette histoire, c'est
l'inconséquence de Germaine qui veut bien
nasarder Bonaparte, mais qui pousse, s'il ne
lui en tient aucun gré, des cris assourdissants.
Patelin, et prenant, je pense, Bonaparte pour
quelqu'un d'un peu simple, Necker, le 10 août,
adresse à Lebrun, pour le Premier Consul, un
exemplaire de son ouvrage : « *Comme j'*[y] *ai*

répandu partout non seulement ma haute admiration pour le général Bonaparte, mais encore des sentiments d'affection exprimés avec respect, je crois pouvoir vous prier sans indiscrétion de remettre au Premier Consul l'exemplaire dont je m'empresse de lui faire hommage. C'est un devoir, sans doute, mais les motifs auxquels j'obéis se rapportent également et à l'homme doué de tous les genres d'esprit, que j'ai eu le bonheur d'entretenir à Genève, et au chef suprême de l'État. Je désirerais, dans mon ambition, l'approbation de l'un et l'indulgence de l'autre. » Si le Premier Consul a lu cette tirade, il a dû la trouver cocasse à la fois et désobligeante à l'excès pour son discernement. Il se montre, depuis janvier, envers la fille du Cuistre, d'une longanimité qui lui coûte. Informé, dans le détail, de ses bourdonnements autour des généraux envieux, de la part qu'elle a prise, ensuite, à la diffusion de la brochure de Jordan (« *Sens du vote national sur la question du Consulat à vie* »), et de sa collaboration aux *Dernières Vues de M. Necker*, qui l'ont extrêmement agacé, Bonaparte préfère néanmoins s'abstenir de mesures trop rudes à l'égard d'une « personne du sexe ». C'est bien sur cette retenue que spécule Mme de Staël. Mais elle se persuade en même temps que ses précau-

tions sont bien prises et que le Pouvoir ignore
tout de ses activités.

Alertée par une lettre de Garat qui lui signale
que Bonaparte a parlé d'elle avec violence —
il a été « *grossier* », dit Garat — Germaine,
surprise et presque indignée, déclare à Hochet
qu'on a dû la « *dénoncer* », à Paris (de vilaines
gens, des Genevois, je présume, ajoute cette
naïve; elle ne saura que l'année suivante les
propos de Rœderer, ancien ami devenu traître,
et qui l'appelle « *tricoteuse de faux bruits* »);
mais elle adopte un sourire de défi : s'il se
risque à me tourmenter, « *le Consul, qui n'aime
pas les journaux anglais, leur prépare les plus bril-
lants articles sur la peur qu'il a d'une femme.* »
A la fin de l'été, les nouvelles s'aggravent.
Bonaparte irait, dit-on, jusqu'à prétendre lui
interdire la France. Il ferait beau voir! Germaine
se cambre devant Jordan. On assure que Bonaparte a de l'humeur contre moi? « *Je la braverai,
cette humeur!* » (6 septembre 1802). Oh non!
Oh non! Pas du tout. Et nous allons précisément assister, des années durant, à cette danse
qu'exécute la boulotte, avec deux figures al-
ternées : face au public, une gesticulation grandiose, et tous les signes d'un noble courroux;

face au prince, quand elle se retourne, gémis-
sante, suppliante, infortunée.

Pour l'instant, elle en est encore à ces cachot-
teries dont elle a fait, jadis, un usage acharné,
quand elle avait trouvé moyen, déjà, de se faire
expulser par le Directoire, et qu'elle voulait
surtout qu'on ne le sût point à Genève; de
même, aujourd'hui, elle insiste, avec une cha-
leur très vive, auprès du bon ami Hochet pour
qu'il se taise, strictement, sur un bannissement
possible : « *Je vous conjure de ne montrer à personne,
ni ami, ni ennemi, de l'inquiétude sur mon retour.* »
Du reste, elle reviendra à Paris quand elle
voudra, comme elle voudra. Qu'on l'annonce
à son de trompe, et Bonaparte reculera, c'est
certain. Elle n'en a pas moins des spasmes à la
pensée qu'après tout Bonaparte est le maître,
qu'il se « *laisse aller* », paraît-il (mais pourquoi,
mon Dieu !) à de « *grandes déclamations* » à son
sujet, qu'elle n'est pas Française, et que le
gouvernement de Paris pourrait très bien, en
somme, la prier de rester en Suisse. Cette idée
la terrifie. Et puis il y a cette affaire, toujours
pendante, des 2 millions à ressaisir, cette grosse
affaire dont les *Dix Années d'Exil* oublieront
même la mention et qui pourtant, dans la

comédie dont nous suivons ici le déroulement,
joue un rôle si considérable. « *Remarquez*, fait
observer Germaine à Hochet, le 1ᵉʳ septembre 1802, *remarquez que mon père n'a pas voulu
redemander sa fortune avant que son livre eût paru.* »
(Germaine écrit : « Sa fortune » parce que le
thème convenu est que les Necker sont ruinés
si cet argent ne rentre pas; les 2 millions ne
seront pas rentrés davantage quand Germaine,
le 7 juillet 1808, fera sonner devant O'Donnel
les « 120 000 livres de rente, sans un sol de
dettes » dont elle jouit; disons un revenu
de 48 millions-1959). C'est très beau, cette
délicatesse du banquier, mais Germaine s'in-
terroge à présent sur les inconvénients que
ces grandes façons peuvent avoir. Du 6 septembre, au même Hochet, ceci qui est savou-
reux s'il n'est point feintise : Comment! Les
Dernières Vues déplairaient en haut lieu? Ce
n'est pas vrai? Ce sont des mensonges, n'est-ce
pas? Du travail de calomniateurs! « *On veut
m'inquiéter, de Paris, sur l'ouvrage de mon père.
On prétend qu'il pourrait nuire à mon repos en
France. Je n'en crois rien. Bonaparte est un trop
grand homme, de quelque manière qu'on le juge, pour
rendre une fille responsable des actions d'un père*

qui écrivait avant sa naissance » (la date de cette lettre est bien : « 6 septembre 1802 »; la même date qu'on lit sur la lettre à Jordan où Germaine fait l'impavide et la combattante).

Autrement dit, Mme de Staël commence à s'affoler pour de bon. Benjamin l'avait bien prévenue.

**

L'hiver 1802-1803 s'écoule sans que Germaine ose se risquer à tenter le voyage en France. Elle sait maintenant, de manière officieuse, par Mathieu de Montmorency, que sa présence ne sera pas tolérée à Paris (1), et c'est pour elle une calamité.

« *Mon père*, écrit l'auteur des *Dix Années d'Exil*, mon père *qui daignait toujours se faire un reproche d'avoir eu part à ce qui gâtait mon sort, conçut l'idée d'aller lui-même parler au Premier Consul en ma faveur* »; mais Mme de Staël l'en a détourné. Bonaparte jalouse Necker, la comparaison entre eux étant, pour lui, terrible, à

(1) En février, la police ayant cru savoir que Mme de Staël se proposait de venir à Paris, ordre avait été donné de l'arrêter en route, à Melun, et de lui faire rebrousser chemin : « *L'intention du gouvernement est que cette étrangère ne reste point en France.* »

cause du prestige du banquier, de « *l'expression
si belle de ses regards* », de « *tant de noblesse d'âme
et de finesse d'esprit* » réunies sur ses traits. Tout
cela ne ferait « *qu'exciter dans le Consul un désir
d'humilier* » l'homme qui possède tous ces
« avantages ». « *Je refusai*, conclut Germaine,
le généreux sacrifice que mon père voulait me faire »
(« *Sacrifice* » était le mot juste; qu'on en juge
par cette note intime de Necker, retrouvée à
Coppet : « *S'il faut que j'aille aux Tuileries, s'il
faut qu'on m'y voie passer* [...], *s'il faut que j'y traverse la foule, ne fût-ce qu'au milieu des cours, ne
fût-ce qu'en montant l'escalier, le rouge me viendra
au visage en songeant que ce n'est pas là le rôle d'un
ancien ministre du Roi.* »)

Le 3 mars 1803, elle consulte Hochet. Le
gouvernement consulaire consentirait-il à ce
qu'elle s'établît à dix lieues de Paris? Là est
peut-être l'accommodement. Mme de Staël
n'impatienterait point le chef de l'État en s'ins-
tallant trop près de lui et la distance d'éloignement qu'elle propose n'est pas telle que ses
amis puissent hésiter devant le trajet. Tous ont
des voitures, car ce sont gens de qualité, et
40 kilomètres se font aisément en deux heures.
Germaine n'arrive pas à concevoir ce qui peut

motiver envers elle la cruauté de Bonaparte.
Mais enfin, qu'a-t-elle fait? « *Est-ce l'ouvrage
de mon père? [...] Comment se fait-il qu'un ouvrage
où le Consul est si bien loué l'ait blessé?* » Elle a
envie de lui écrire directement, personnellement, au « grand homme », pour en appeler
à son équité. Qu'en pense Hochet, qui est sur
place et bien introduit? « *Si j'écrivais au Premier
Consul une lettre où je lui donnasse ma parole d'honneur de renoncer au talent que je puis avoir de parler,
et même d'écrire, et de me soumettre entièrement à
la vie obscure, quel effet croyez-vous que cela produi-
rait sur lui?* » Ou bien un petit chantage?
Affirmer que, si l'on me ferme la France, je
passe en Angleterre; « *est-il raisonnable de ne
pas aimer mieux me tenir sous la patte à Paris
que de me lancer à Londres avec de l'esprit et du
ressentiment?* » Bien sûr que c'est une menace
en l'air, cette transhumance, un simple argument de pression. Londres n'intéresse pas Germaine pour un liard. C'est Paris qu'elle veut,
la proximité de Paris tout au moins, si la capitale lui reste interdite; un salon en France, à
côté de la seule ville qui compte pour elle sur
la terre. Elle est prête à tout ce qu'on voudra,
à vivre « *sous la patte* », à être sage comme une

image, pourvu qu'on ne la prive pas de sa
drogue, la vie mondaine chez les Français.
Mme de Staël fait amende honorable; elle
rampe, elle implore. Son père lui a fait la leçon :
« *Il faut savoir se vaincre pour son intérêt, quand
on ne peut rien obtenir par la bataille.* » (Il lui a
donné ce bon conseil le 6 décembre 1801) (1).
Allons, d'accord, oui, c'est vrai, elle a eu des
paroles inconsidérées, des échappées malen-
contreuses. Elle s'en repent bien. Elle demande
pardon. Si le Premier Consul l'autorise à rentrer, comme elle l'en supplie, il verra de ses
yeux, Germaine l'écrit en toutes lettres, « *la
conversion de mon imprudence* » (3-3-1803).

Trois semaines plus tard, c'est vers Joseph
que l'éplorée se tourne. Que Bonaparte la
prenne en pitié! « *Je souffre extrêmement, au
moral et au physique, d'un séjour prolongé dans un
pays* [la Suisse] *dont l'air et la manière de vivre
ne me conviennent pas du tout* »; « *je vous donne ma
parole que, si le Consul me laisse revenir en France,
je me tiens liée d'honneur à ne pas dire un mot, à*

---

(1) Necker est un sage, tout comme Benjamin, lequel
énoncera un jour cet axiome qui fait partie de ses règles
de conduite : « *Il ne faut jamais être mécontent de ceux dont
on a besoin.* » (Lettre XCII à Mme Récamier; juin 1815).

*ne pas écrire une ligne, à ne pas faire une démarche
qui puisse lui déplaire.* » De peur d'une rebuffade
qui la tuerait (surtout si le public en avait
connaissance), Germaine renonce à écrire au
« grand Consul », mais elle pousse son père en
avant, et Nestor met tous ses soins à une épître
qu'il adresse à Lebrun, pour communication
au Maître : « *Les obstacles inattendus apportés
au retour de ma fille [...] ont jeté la désolation dans
ma famille [...]. Je crois facilement à quelques
paroles imprudentes de la part de Mme de Staël,
parce que je lui connais une imagination très vive
et surtout une grande expansion dans le caractère
[...]. Elle a pu être tardive à se mettre en harmonie
avec la réserve commandée par le nouvel ordre de
choses, à s'y mettre, du moins, parfaitement. Mais,
en laissant le passé et en priant le Consul de pardonner ce qui aurait pu lui déplaire, je suis certain
que Mme de Staël aura désormais la circonspection
la plus parfaite [...]. Ma fille vient de déposer entre
mes mains la promesse d'adopter le genre de vie
que vous aurez la bonté de lui conseiller, et de renoncer
fermement à toute espèce de conversation sur le gouvernement et la politique [...]. Elle prendra même la
liberté d'adresser cet engagement au Premier Consul
dès le premier signe qu'elle recevra d'un retour*

d'indulgence et de bonté de sa part. » Lebrun répond,
le 5 avril : « *Toute tentative est inutile* », et Germaine se tord les mains. Que faire, mon Dieu,
que faire? Le 10 mai, c'est de nouveau Hochet
qu'elle interpelle. Un « *éloge imprimé* » qu'elle
glisserait, en préface, dans une nouvelle édition
de *Delphine* (1), est-ce que cela « *finirait tout?* »
Ce serait assurément très rude pour son personnage. Ses lettres secrètes, à Joseph, à
Hochet, le monde les ignore, et si Bonaparte
la laisse rentrer, elle pourra jouer la victorieuse,
celle qui s'est imposée par la seule puissance
de son éclat, celle qui a fait plier le Tyran.
Mais un « éloge imprimé »! Tant pis! Elle
trouvera bien, ensuite, quelque biais justificatif. Elle n'en peut plus. Quel que soit le droit
de péage, elle le paiera. Elle expire.

Benjamin qui se terre dans sa propriété des
Herbages, méditant aux moyens d'une rupture,

(1) De Genève, le 25 mars 1803, Mme de Staël a
écrit à Maradan, son éditeur : « *Je vous prie de calculer
votre deuxième édition, pour le nombre, de manière que, dans
six mois, je puisse en faire une troisième, avec la réponse que
je projette* »; c'est la préface envisagée. (Bibliothèque
de Genève; manuscrits Staël.)

ne cesse de prêcher le calme à Germaine. Qu'elle reste donc là où elle est, quelques mois encore. Qu'elle patiente! Avec du savoir-faire, on arrive à tout. Il tremble, en vérité, qu'elle ne surgisse chez lui, ou près de chez lui, pour le mêler une fois de plus à ses tempêtes.

Et, bien entendu, elle vient. Le 10 août 1803, elle a averti Joseph qu'elle allait arriver. Veuille sa protection s'étendre sur elle! Qu'il lui fasse de sa tendresse un rempart contre le malheur! Qu'il remontre au Premier Consul qu' « *une absence de dix-huit mois* [est] *un châtiment suffisant pour quelques remarques imprévoyantes* », que Mme de Staël est bien résolue à ne plus donner prise à la moindre critique, qu'elle sera docile, rangée, impeccable (1). C'est à Maffliers, dans une maison que lui prête son notaire parisien,

---

(1) C'est tout à fait confidentiellement qu'elle a fait part à sir John Campbell, le 24 juillet 1803, de ce petit détail éloquent sur l'espèce d'individus dont s'entoure Bonaparte; il s'agit du général Ney; un homme, écrit Germaine, « de si bon goût dans ses plaisanteries qu'il a lancé l'autre jour, à table, toute une bouteille de vin de champagne sur M. Venturi, ambassadeur de la République italienne, lequel, d'abord étonné, a fini par être charmé d'amuser un moment ce grand seigneur conventionnel. » En janvier 1815 Mme de Staël invitera Ney à sa table. Il s'est rallié aux Bourbons (cf. la lettre XXXIII de B. C. à Mme Récamier).

près de Beaumont-sur-Oise, à deux pas des
Herbages, qu'elle souhaite passer, d'abord,
quelques semaines; elle veillera de là, innocente,
à ses intérêts financiers et à l'éducation, aussi, de
son fils aîné, Auguste, lequel ne saurait faire ses
études qu'à Paris. Maffliers, il est vrai, n'est pas
à dix lieues de Paris, mais à six. Joseph plaidera,
n'est-ce pas? Joseph enlèvera l'autorisation?

On sait la suite : Germaine, le cœur battant,
qui part de Coppet, avec Mathieu de Montmorency, le 16 septembre 1803 (1); Benjamin,
exaspéré mais dissimulant, qui la retrouve à
Nangis, le 23 (il l'étreint; il l'adore); Germaine,
au bout de huit jours, enhardie et comptant
bien pouvoir rouvrir son salon parisien (à son
père, 27 septembre : il y a dans ma conduite,
jusqu'ici, « *un air battu* » qui ne me va point;
« *je veux un succès pour cet hiver* »); Germaine
écrivant, le 4 octobre, à Joseph, « *l'admirable
Joseph* », pour tenter d'obtenir ce « succès »
grâce à lui. (« *La moitié de la fortune de mon père
est entre les mains de l'État, et l'on n'accorde ni
à lui, ni à moi la liberté de venir réclamer nous-*

_____

(1) « Je vais en France dans huit jours », annonçait-
elle à Campbell, le 9 septembre; « je veux savoir si la
France peut être encore ma patrie et celle de mes enfants. »

mêmes ce qui nous est dû »; « *vous qui connaissez si bien le cœur humain, n'êtes-vous pas certain que j'ai à présent le plus sincère désir de reconquérir la bienveillance du gouvernement qui seule peut m'assurer le repos et la France?* » Germaine promet d'être désormais « la personne la plus prudente de la République »; « *cher Joseph, si vous avez conservé quelque bonté pour moi, c'est le moment de venir à mon secours* »); le rapport de police, du 11 octobre, signalant qu'on voit vraiment « beaucoup de monde » à Maffliers, et, le 15 octobre, l'ordre signifié à Mme de Staël d'avoir à s'en aller sans retard (1). Mais il y a aussi deux lettres adressées par Germaine à Bonaparte, deux lettres dont l'auteur des *Dix Années d'Exil* se gardera bien de laisser même soupçonner l'existence. Première lettre (de Coppet, avant le départ) :

Citoyen Premier Consul,

Ayant eu connaissance, l'hiver dernier, que mon retour à Paris ne vous serait pas

---

(1) Le 7 octobre au soir, quelqu'un (Régnault, probablement) était venu avertir Germaine qu'elle serait expulsée le lendemain. Le 8 au matin, Germaine avait conjuré Joseph de tenter encore un effort pour elle, et elle avait envoyé Constant chez Fouché. Tout avait été vain.

agréable, je me suis condamnée, sans aucun
ordre direct de votre part, à passer dix-huit
mois dans l'exil. [*Mme de Staël veut dire :
dans ma patrie, chez mon père, en Suisse*].

Quelques paroles de bonté que vous avez,
depuis, prononcées sur moi [?] et qui me
sont revenues, m'ont persuadée que cet exil
vous paraissait assez long et que vous vou-
driez bien prendre en considération les intérêts de ma famille qui rendent mon retour à
Paris absolument nécessaire. Je m'arrêterai
cependant à dix lieues, ne me permettant
pas d'arriver sans savoir votre intention à
mon égard.

Si je connaissais le genre de prévention
que mes ennemis ont essayé de vous inspirer
contre moi (1), je saurais ce que je dois
dire pour me justifier. Je me borne à vous
assurer que je ne prononcerai ni n'écrirai
un seul mot relatif aux affaires publiques pendant mon séjour en France [...] et quand
je vous prie de consentir à ce séjour, je
dégraderais mon caractère si je ne remplis-
sais point fidèlement les conditions d'une
faveur.

[*Deux mois, deux pauvres mois de séjour,*

---

(1) Mme de Staël est une linotte. Elle-même, le
4 août 1803, signalait avec inquiétude à Campbell l'ar-
restation, à l'improviste, de leur ami Christin, et elle
spécifiait : « Il y avait dans son journal, et dans mes
billets adressés à lui [...] *de quoi me nuire assez sérieusement.* »

à dix lieues de la capitale, c'est ce dont Mme de Staël se contenterait, s'il le fallait; mais]. J'espère que votre bonté, et, s'il m'est permis de le dire, votre justice, ne se borneront point à ces deux mois. Pourquoi renverseriez-vous la destinée d'une femme qui n'a, de sa vie, fait de mal à personne? Pourquoi forceriez-vous une mère à chercher ailleurs que dans sa patrie les ressources nécessaires à l'éducation de ses enfants? [*La patrie d'origine de Mme de Staël est la Suisse; puis Germaine est devenue Suédoise par son mariage*]. Enfin, surtout, à la hauteur où vous êtes placé, pourquoi vos regards tomberaient-ils sur moi, si ce n'est par un sentiment de protection et de bienveillance?

Agréez, Citoyen Consul [etc...].

Seconde lettre (de Maffliers, après l'ordre d'éloignement) (1).

Citoyen Consul,

Je vivais en paix à Maffliers sur l'assurance que vous aviez bien voulu me faire donner que j'y pouvais rester (2), lorsqu'on est venu

(1) Cette lettre doit être du 8 octobre 1803. Germaine a été avertie, le 7 au soir, de l'ordre imminent d'expulsion qui va lui être signifié.

(2) Le 27 septembre, Germaine avait transmis à son père ce qu'on lui avait rapporté de la réaction de Bonaparte à sa lettre n° 1. Il s'est contenté de grommeler, et il a dit : « *Je ne lui répondrai pas.* »

me dire que des gendarmes devaient m'y
prendre, avec mes deux enfants.

Citoyen Consul, je ne puis le croire. Vous
me donneriez ainsi une cruelle illustration.
J'aurais une ligne dans votre histoire [...]
vous perceriez le cœur de mon père qui
viendrait, j'en suis sûre [*il ne viendra pas*]
vous demander quel crime j'ai commis, quel
crime a commis une famille, pour éprouver
un si barbare traitement [...] Citoyen Consul,
il n'est pas de vous le mouvement qui vous
porte à persécuter une femme et deux enfants.
Il est impossible qu'un héros ne soit point
le protecteur de la faiblesse. Je vous en conjure encore une fois, faites-moi la grâce
entière, laissez-moi vivre en paix dans la
maison de mon père à Saint-Ouen [...]. Je
m'en irai au printemps, quand la saison
rendra le voyage favorable pour mes enfants.

[*Paragraphe final : l'offre timide d'un marché* (1) *si vous êtes bon pour moi, Seigneur,
comme je serai bonne pour vous! Comme vous
aurez matière à vous louer de moi!*] « *Vous pouvez* [si vous m'acceptez dans votre ombre,
« sous la patte »] *m'inspirer une reconnaissance*

---

(1) Germaine a tenté d'abord — espérant toujours
un miracle — de cacher à ses correspondants l'avanie
qu'elle subissait pour s'y être sottement exposée. Le
15 octobre 1803, réfugiée qu'elle est chez Juliette (elle
date sa lettre de « Saint-Brice, près Paris ») elle écrit à
sir John Campbell, choisissant ses termes : « Je ne
regarde pas comme possible de passer l'hiver paisiblement à Paris. »

plus vraie, plus durable [plus précieuse, pensez-y, « *réfléchissez !* » Je suis Mme de Staël, l'écrivain] *que beaucoup de faveurs peut-être* [coûteuses et mal placées] *ne vous vaudront pas.* »

C'est en vain que Mme de Staël se sera mise ainsi, discrètement, à plat ventre (1). Elle doit partir. Napoléon consent bien à ce qu'elle reste en France, mais pas à moins de quarante lieues de Paris. « Outrage », inconcevable « outrage », dira Germaine, dans ses *Dix Années d'Exil* (I, xii). Toute la France, et le monde entier, lui sont ouverts. Elle a ses millions et son Coppet. Un petit rond de terre seulement, un tout petit rond sur la planète, où elle est indésirable; une étroite contrée qui n'est même pas dans son pays. N'importe ! Il y a Paris au milieu du cercle interdit, et cela suffit pour que Mme de Staël expose à l'univers son sein martyrisé.

On ne la veut point à Lutèce? Bon. C'est la France qu'elle punira, en sortant de son territoire. Mme de Staël part pour l'Allemagne

---

(1) « Que je meure en France, mais près de Paris, à dix lieues, et je le remercierai [*votre frère Napoléon*], je le prierai comme Dieu même. »

où vivent, du moins, des honnêtes gens qui ne demandent qu'à lui faire fête (1).

Selon la fable, Mme de Staël, en 1803, est la protestataire, la rebelle qui dit adieu à une France où ne sauraient plus vivre les âmes libres. Plaintive, en réalité, la rebelle; effondrée, la protestataire. Germaine à « papa Nècre », 24 octobre 1803 : « *Mon malheur dépasse tout ce que mon imagination avait conçu* »; à Mathieu, le 26 : « *Quel mal m'a fait le Premier Consul! [...]. S'il en avait eu l'idée entière, il eût reculé devant elle!* »; à Gérando, repentante : « *J'étais loin de croire que je souffrirais ce que je souffre. Je me serais conduite autrement si je l'avais prévu!* » (26-10-1803). Mme de Staël, sur la route, s'est arrêtée à Bondy, espérant encore que les démarches de Joseph, de Junot (qu'elle a supplié Mme Récamier de faire agir) auront pu fléchir

---

(1) A la vérité, Mme de Staël n'éprouve pour l'Allemagne qu'un très faible attrait. Si elle décide, malgré tout, de s'y rendre, elle en confie tout bas la raison à son père, dans un billet du 7 novembre : « *On a dit à Paris que je n'osais pas aller en Allemagne, dans la crainte de n'y être pas reçue; cela m'oblige à ne pas reculer.* » Le 22 novembre, elle ajoute : « *Il faut que je donne un prétexte à mon expédition d'Allemagne, et les hommes de lettres de Weimar en sont un suffisant.* » Le ciel préservera le « divin » Gœthe de savoir qu'il n'était au vrai, pour Mme de Staël, qu'un « prétexte »! Faute de grives...

Bonaparte, obtenir la révocation de sa mesure atroce. Junot écrit à Juliette, qui fait suivre, bien vite, à Germaine : « *J'ai vu ce matin le Consul; il m'a dit qu'il consentait à ce que Mme de Staël ne quittât pas la France. Il veut bien qu'elle réside même à Dijon, si cela lui est agréable; il m'a même dit tout bas que, s'il n'y a rien de nouveau par la suite... J'espère que sa sagesse et nos vives sollicitations feront achever la phrase.* » Dijon ! Le Premier Consul se moque d'elle ! Pourquoi pas Carpentras ? C'en est donc fait, ô ciel ! Elle ne l'aura plus, son salon dans la capitale. Quelle pitié ! « *Le Premier Consul n'a pas su à quel point je me serais annulée avec plaisir.* » (à Hochet, 7 novembre 1803).

C'est ici qu'il importe de définir avec précision la nature des sentiments de Germaine devant Bonaparte. Toute l'histoire, au fond, son père l'aura résumée d'un mot que nous avons vu au passage : un « *amour malheureux* ». La « liberté », le régime, le système, Germaine se soucie bien de tout cela ! Germaine est pour tous les régimes, tous les systèmes qui lui donneront la place et la fonction qu'elle réclame : celle d'illustration permanente. Germaine veut être la première dame du régime français, quel

qu'il soit. Son salon doit être le lieu où se
décident, sinon « les affaires » elles-mêmes, du
moins les grandes nominations. Privilège que
lui confère, de droit, son génie. Après de vives
espérances au lendemain du 9 Thermidor,
Mme de Staël a jugé que son rôle normal,
dans le gouvernement des Français, tardait
beaucoup à lui revenir et, c'est, pour une large
part, en raison de cette inconvenance, à son
égard, du Directoire, qu'elle a misé, dès 1797,
sur le général Bonaparte. Sa déception a été
lourde. Bonaparte reprenait les errements de
ses prédécesseurs. Bonaparte-Consul s'obstinait
à ne point voir en elle l'Égérie naturelle de son
règne. D'où les griefs, transposés en critiques
doctrinales, que Mme de Staël nourrit contre
lui. A la seconde même, tout cela s'évanouirait
si Bonaparte se conduisait envers elle en galant
homme, déférent, un peu tendre, hôte assidu de
sa demeure. Rien n'est venu, que de vilaines
paroles, et maintenant cette « persécution ».
Elle s'y est très mal prise. Elle a mal calculé
son affaire. Jamais elle n'eût dû essayer avec
lui de l'intimidation. Germaine ne demande
plus qu'à le convaincre désormais de sa parfaite
obéissance, de son absolu dévouement. Il est

le plus fort, et chéri des dieux. Germaine
pleure. On dit, écrit-elle, le 14 octobre 1803,
à son père, on dit que la paix va se faire entre
Bonaparte et les Anglais; « *ce serait un nouveau
trait de l'inexprimable bonheur* », de la chance
insigne, infaillible, « *du Premier Consul* »; « *pourquoi ne veut-il pas que tous les cœurs soient heureux
de sa joie?* » Son « cœur » à elle, ah! qu'il est
prêt à se donner! Et Necker joint ses larmes aux
siennes. « *Tu as raison; tout cela n'est pas du
Consul, n'est pas de ton héros* »; c'est son entourage qui l'anime contre toi; « *je ne puis concevoir
la conduite du Chef; il t'aurait gagnée si facilement!* » (28-10-1803).

Que ce point soit donc établi. Entre Mme de
Staël et Bonaparte, l'obstacle n'est, aucune-
ment, la « liberté morte »; l'obstacle est un
salon boycotté.

*
* *

La société du premier rang que Mme de Staël
fréquente en Allemagne (à Weimar d'abord,
à Berlin ensuite) (1) l'oblige à soutenir son

_____

(1) « Le succès vraiment inouï que j'ai en Allemagne
[...] » (Germaine, à sa cousine Necker de Saussure,

personnage apparent d'opposante. Sa « gloire »
est à ce prix, outre - Rhin. C'est à Berlin
qu'elle apprend l'exécution du duc d'Enghien
(21 mars 1804) et Germaine se montre aussitôt
« sublime d'indignation ». Les bords de la
Spree retentissent de ses clameurs, que réper-
cuteront les *Dix Années d'Exil* : geste « *atroce* »,
« *forfait* », « *acte horrible* ». Et cet Hulin qui
commandait la commission militaire de Vincennes ! « *Un homme de la plus basse extraction* »
(*Dix Années d'Exil*, IV, XV). Toutefois, sous
pli fermé, après comme avant l'exécution du
21 mars, Germaine poursuit ses dolentes démarches pour attendrir l'égorgeur.

Le 22 novembre 1803, elle indiquait à son
père son intention de gagner « *secrètement* »
Paris, en février, et d'écrire, ensuite, au Premier
Consul. Le 30 novembre, de Francfort, elle
s'est adressée, sanglotante, à Lebrun : elle
vient de traverser des épreuves sans nom ; sa
petite fille a eu la scarlatine ; elle-même perdait
la tête dans cette ville étrangère ; « *si le Premier
Consul m'avait vue dans cet état, il aurait pensé*

Weimar, 31 janvier 1804) : « On fait cercle autour de
mes paroles ; j'ai un succès qui me ferait tourner la
tête [...] (*id*, de Berlin, le 1er avril 1804.)

comme moi que *l'exil est une douleur presque égale
à la mort* »; si seulement vous pouviez m'annoncer « *que le Premier Consul me laisse revenir !* »;
« *je ne sais pas ce que je deviendrai si le Premier
Consul n'abrège pas ma situation* [...]. *Je fais tous
les jours une prière pour qu'une heureuse lettre appa-
raisse; mettez-vous de moitié dans cette prière.* »
Et, par le même courrier, ceci, à Joseph :
« *Le Premier Consul, dit-on, passe l'hiver à Paris.
Ne pourrait-il donc pas m'y laisser revenir? Il saurait chaque jour combien je suis devenue semblable
à ce qu'on veut que je sois.* » Les Français, ajoute
Germaine, ne sont pas très bien vus en Allemagne; « *mes affections et mes sentiments y sont
froissés; je me trouve là plus amie de votre gouvernement qu'il ne le croit* [ce gouvernement], *parce
que le mouvement de mon caractère est de défendre
ce qu'on attaque* » (1).

(1) Sachant d'avance (elle se connaît) qu'elle parlera
trop, à Berlin, et que Bonaparte en sera fatalement
averti, Germaine recourt à des démentis préventifs.
Elle déclare donc à Lebrun : « *Je crains que* [là-bas, à
Berlin] *mon nom, qui excite de la curiosité, ne soit encore cité,
quelque soin que je prenne pour l'empêcher de l'être* »; et à
Joseph : « [...] *il est si aisé d'être citée et calomniée au milieu
d'une grande réunion d'hommes et d'affaires.* » Constant, bien
autrement précautionneux, évitera, pour sa part, le
voyage à Berlin.

Tandis que Mme de Staël, à Weimar, « danse la Péricotine et saute la Polonaise, que c'est un plaisir de la voir » (comme dit Charlotte de Stein), et qu'elle daube, avec le duc régnant Charles-Auguste, sur le compte des « *buona-particiens* », son père la sermonne : « *Il faut croire plus que jamais à l'étoile de Bonaparte* »; donc : prudence ! Les trames de Moreau viennent d'être déjouées... Comment ! Il arrête Moreau maintenant ? Le noble, l'intègre Moreau ? Quel tigre ! Benjamin, qui est avec elle, en est tout secoué de colère (mais il n'a pas chargé Germaine de publier la chose). Benjamin pense comme moi, dit Germaine, que « *la force et l'abomination* » de Bonaparte « *viennent de ce qu'il n'a aucune nature humaine* » (5-3-1804) (1). Necker la calme aussitôt : ce Moreau, n'est qu'un maladroit; « *dans quel précipice il s'est laissé*

---

(1) Ce n'est pas du côté de la France que Constant laisserait fuser sa pensée; mais avec Bottiger, ce professeur de Weimar, il peut — la lettre voyagera en sûreté, semble-t-il — se laisser entendre, à demi-mot du moins, et il lui écrit, de Francfort, le 25 mars 1804 : « *Les ramifications de l'affreuse conspiration qui a mis en danger la France et l'Europe s'étendent chaque jour. Le nombre des coupables augmente à chaque minute. Pour peu que cela dure, vous verrez que la France entière y aura eu plus ou moins de part. Cela n'empêchera pas que la France entière ne soit indignée contre les conspirateurs.* »

jeter! Tout était bête, et archi-bête, dans ce complot. » A Berlin, Mme de Staël voit beaucoup l'ambassadeur de France, Laforêt, et elle a, dès janvier, fait savoir à Hochet : « *Je serais très heureuse de trente lieues, l'été prochain* [...]; *répondez-moi le plus vite que vous pourrez sur le mot trente.* » Réponse encourageante. Oui, on dirait bien qu'elle les obtiendra, ses « trente » lieues. Dix de gagnées. Pas moyen d'en grignoter cinq de plus ? Les lauriers qui pleuvent sur sa tête en Allemagne pourraient-ils servir à quelque chose en ce sens ? N'inclineraient-ils point le Consul à penser qu'une femme à ce point glorieuse, c'est à Paris qu'elle doit être, comme le plus bel ornement de sa cour ? « *Je pourrais vous envoyer un in-quarto de ces gazettes* [qui me portent aux nues] *et des vers et des hymnes que je reçois. Je le ferais si je pouvais imaginer que cela me ferait gagner cinq lieues sur les trente.* »

Et voici la nouvelle de l'exécution monstrueuse. Si Mme de Staël mène alors, pour son public berlinois, le train que l'on sait, on constate déjà, cependant, que, dans sa lettre du 3 avril à son père (3 avril, le jour même où elle a appris cette horreur) elle évite toute remarque sur le Premier Consul, et note même, allusi-

vement, que l'affaire ne la concerne pas de
façon très directe : « *Sans doute, si les Bourbons
revenaient, l'Europe continentale me serait peut-être
interdite* », mais enfin... Mais enfin, c'est « *le
genre humain* » qui est « atroce ». Bonaparte
n'est pas nommé. Germaine observe ensuite
(7 avril) que si « *la mort du duc d'Enghien a
produit ici* [à Berlin] *le plus grand effet que quelque
chose puisse produire* », il n'en résultera rien, c'est
probable, sur le plan international; ni la Prusse,
ni l'Autriche n'attaqueront la France pour
autant, et le Premier Consul n'aura la guerre
sur le continent que s'il en prend lui-même
l'initiative. Germaine a accepté, pour sa part,
sans le moindre trouble de conscience, une nouvelle invitation de Laforêt; elle croit d'ailleurs
discerner, dans les hauts parages prussiens,
quelque réserve à son égard. On murmure aussi
(lettre du 17 avril, à son père) que Bonaparte
va se faire proclamer Empereur. « *Plus on exa-
mine l'Europe* », dit-elle, plus on voit Bonaparte
« *puissant* ». La lettre qu'elle écrit alors au frère
du Premier Consul est une pièce éminente de
sa Correspondance (et je ne m'étonne point
qu'on oublie généralement d'en faire état).

Dans ses grandes Lamentations de 1811,

Mme de Staël démêlera très bien les motifs de l'assassinat prescrit par Bonaparte. « *A la veille de se faire couronner* », dira-t-elle, il voulait « *rassurer le parti révolutionnaire en contractant avec lui une alliance dans le sang* »; « *on crut même quelque temps*, ajoutera Germaine, *que c'était le signal d'un nouveau système révolutionnaire* » (*Dix Années d'Exil*, I, XV). De cette analyse très clairement conduite dès 1804, Mme de Staël avait tiré tout de suite les conclusions appropriées à son cas. Le 17 avril 1804 — en même temps qu'elle écrivait à son père — elle adressait à Joseph Bonaparte un message très étudié. Chacun sait, n'est-ce pas? qu'elle donne peu dans le royalisme; qu'elle serait, plutôt, d'en face; avec l'incident de Vincennes, les bourboniens viennent de recevoir une leçon qui les fera rentrer sous terre; « *il me semble que le Premier Consul doit être convaincu à présent qu'il n'a rien à craindre de l'opinion républicaine* [désormais dûment rassurée] *et que ceux qui pourraient parler ou écrire dans le sens philosophique* [comme Benjamin Constant et moi-même] *servent ses véritables intérêts* ». Moi, notamment, qui n'aime guère les tenants du trône et de l'autel, je pourrais rendre des services, non? « *Croyez-vous que, l'automne pro-*

chain, on me laisse à quinze lieues de Paris? » Germaine se fait gourmande. Trente lieues, en janvier. Vingt-cinq, ensuite. Quinze, maintenant. Pourquoi pas? L'occasion est bonne d'avancer. Son numéro de vocératrice terminé, et calculant que cette effusion d'un sang royal doit lui faciliter les voies, Mme de Staël, souriante, essaie en direction de l'Empereur imminent une petite glissade sur la flaque.

Lorsque Mme de Staël écrivait ainsi, le 17 avril 1804, à Joseph Bonaparte, elle ne savait pas que son père était mort depuis sept jours déjà. Le 18 au matin, elle apprend qu'il est « dangereusement malade ». Elle part, sur l'heure. Elle saura, en cours de route, qu'il a expiré et trouvera, à Coppet, une preuve posthume de son amour. M. Necker, racontera-t-elle, « *se faisait des reproches de son dernier livre comme étant la cause de mon exil; d'une main tremblante, il écrivit, pendant sa fièvre, au Premier Consul, une lettre où il lui affirmait que je n'étais pour rien dans la publication de ce dernier ouvrage, et qu'au contraire, j'aurais désiré qu'il ne fût pas*

imprimé »; « *cette voix d'un mourant* [...] *deman-
dant pour toute grâce le retour de ses enfants dans
le lieu de leur naissance et l'oubli des imprudences
qu'une fille, jeune encore, avait pu commettre* [...]
me semblait irrésistible »; « *j'envoyai cette requête
sacrée;* [on] *n'y répondit point.* » (*Dix Années
d'Exil*, I, XVI et *Considérations*, IV, IX). Une
fois de plus, les *Dix Années d'Exil* ne sont
point véridiques. Mme de Staël n' « envoya »
pas la lettre, d'ailleurs inachevée, que son père
avait préparée pour le Premier Consul. Le
13 juin 1804, en effet, elle s'adresse de nouveau
à Joseph : « *Mon Prince* », lui dit-elle (l'Empire
est fait, depuis le 18 mai), « *souffrez qu'en recon-
naissant en vous, pour le bonheur des Français, un
prince, un successeur, une Altesse impériale, je
m'enorgueillisse du temps où vous me permettiez un
nom plus doux* [...] *J'ai perdu mon père* [...] *et
j'ai été bien près de terminer ma vie; je ne sais pas
encore si je pourrai supporter l'existence.* » Dans
l'éventualité, pourtant, où elle le pourrait, Germaine signale à Joseph qu'elle a « *trouvé dans
les papiers* » de M. Necker « *un brouillon de
lettre* » où l'homme incomparable qui vient de
s'éteindre « *atteste sur son honneur que je n'ai été
pour rien dans son dernier ouvrage* »; « *j'aurais pu,*

poursuit-elle, *envoyer ce brouillon à l'Empe-*
reur [...], *mais, au milieu de tant de prospérités,*
quel intérêt peut-on mettre à la voix des morts et de
ceux qui voudraient les suivre? » Elle « voudrait »
rejoindre son père au sépulcre, mais c'est néanmoins vers un autre objectif qu'elle demande à
Joseph de guider ses pas chancelants. Le même
objectif invariable : Paris, son salon de Paris.
« *Sauvez-moi, si vous le pouvez, de la situation où*
je suis! Je vis ici dans un tombeau, qui sera bientôt
le mien si mon exil ne se termine pas. » Faites,
faites revenir, de grâce, « *une personne bien*
attachée à l'ordre de choses actuel » (13 juin 1804).

Fouché ayant repris ses hautes fonctions,
Benjamin se faisant oublier de son mieux (1),
et Necker n'étant plus là, Mme de Staël croit
si bien, dans l'été de 1804, ses affaires en bonne

---

(1) Benjamin soignait toujours, devant Germaine,
son personnage. Le croyait-elle? Ne le croyait-elle pas?
Elle estimait bon, néanmoins, pour lui rendre service,
de le magnifier aux yeux de Necker — lequel l'aimait
peu; et, le 1er octobre 1803, elle avait transmis au vieux
banquier ceci, qu'elle tenait de Constant lui-même :
« *Fouché a dit à Benjamin :* « *S'il y avait quelque chose contre*
vous, soyez bien sûr que je vous en avertirais. — *Je vous prie en*
grâce de n'en rien faire, lui a dit Benjamin. Je veux attendre
fermement et paisiblement tout ce qui peut m'arriver. — *C'est*
de l'histoire, conclut Germaine, *et de l'histoire romaine,*
que tout cela. »

voie qu'elle ne garde plus de retenue. « Attachée », comme on la doit savoir, désormais,
au régime grandiose dont Napoléon l'invincible
a doté la France, Mme de Staël veut tout :
son hôtel dans sa capitale, et le remboursement
de ses 2 millions (les siens, à présent) — avec
leur progéniture, si faire se peut, les intérêts
qu'ils ont produits depuis 1793. « *Vivre à
quinze ou vingt lieues de Paris, je suis décidée à
n'en pas vouloir* » (à Hochet, 8 août 1804); « *mon
occupation à présent, c'est d'être payée le mieux
possible de la créance de mon père* » *(Id.)*. Un de ses
vieux amis, Régnault de Saint-Jean-d'Angély,
vient d'obtenir un bel avancement. Il l'aidera,
elle n'en doute point. D'ailleurs, elle a résolu
d'effectuer, à l'automne, un voyage de quelques
mois en Italie. Elle en a envie de longue date,
et elle mettra ainsi un intervalle utile, aux yeux
du public, entre son ralliement et son opposition. Ne rien brusquer; de la diplomatie; une
villégiature agréable; et le Paradis est au bout.
Pas question d'attendre à Coppet sa rentrée
dans la capitale. Germaine ne se peut souffrir
dans la proximité de cette Genève qu'elle déteste et où l'on ricane de ses ennuis. Elle a fui,
en octobre 1803, vers l'Allemagne; elle fuit

maintenant vers l'Italie. Tant que Paris ne lui
sera point rouvert, elle ne saurait s'attarder ni
en province (c'est ridicule), ni à Coppet (c'est
insoutenable). Le voyage d'Italie, c'est sa dernière ambulation forcée, elle y compte, avant
le retour triomphal.

Le 17 septembre 1804, Mme de Staël rédige
pour Hochet, à l'intention de Régnault (et, par
son truchement, de l'Empereur) une déclaration capitale. « *Communiquez-lui*, écrit-elle à
Hochet, *que je me prononce contre la dynastie des
Bourbons* [...] *et pour la dynastie actuelle* »; dites-
lui qu'à la suite de malentendus déplorables,
l'Empereur « *me refuse* [encore] *deux choses :
ma patrie* [sic] *et ma fortune* », (Régnault n'a pas
besoin de savoir qu'il lui reste encore 2 millions
et demi de capital); ou plutôt non; ne dites
pas « *refuse* », dites que tout cela est « *en suspens* »; ajoutez que si l'Empereur « *m'avait
accordé l'une ou l'autre* » de ces deux choses « *en
suspens* », j'aurais (attention)! « *j'aurais saisi l'occasion de ce que j'écris en ce moment sur la vie privée
de mon père pour lui témoigner ma reconnaissance.* »
Suggérez que, si Sa Majesté « *me croit quelque
talent* » (et il lui serait difficile de s'écarter, sur
ce point, du sentiment universel), « *il est bizarre*

qu'elle ne veuille rien faire pour me captiver. » Les mots sont bien là; Mme de Staël ne demande qu'à être la « captive » de l'Empereur, et une captive chantant, lyre en mains, pour la gloire du Chef; il ne tient qu'à lui de s'annexer cette esclave illustre et harmonieuse. Le souverain rétorquera peut-être que c'est à Mme de Staël de faire les premiers pas. Non. Il ne s'agit point chez elle d'absurde fierté, d'orgueil hors de mise; il s'agit d'efficacité. « *Si, aujourd'hui, j'écrivais pour, je ne ferais aucun effet; on se moque- rait de moi d'un bout de l'Europe à l'autre si je disais : Bien obligée pour l'exil et pour la ruine !* » Mme de Staël est-elle très sûre, pour reprendre son vocabulaire, qu'elle fera beaucoup plus d' « effet » lorsque admise et payée, elle enton- nera son cantique? (1). Son raisonnement, ici, pèche un peu contre la vraisemblance. Mais

_____

(1) « Moi qui me suis fait proscrire pour ne pas louer Napoléon... » Tel sera comme on sait, le thème usuel de Mme de Staël (cf. par exemple sa lettre du 30 mars 1813 à Frederikke Brun. Citons également le mot fameux, reproduit par J.-J. Coulmann dans ses *Réminiscences* (1865, t. II, p. 115) : à un ministre qui lui disait « que l'Empereur lui paierait ses deux millions » pour peu qu'elle voulût bien « l'aimer », Mme de Staël aurait brillamment répondu : « *Je savais bien que, pour recevoir ses rentes, il fallait un certificat de vie, mais je ne savais pas qu'il fallait une déclaration d'amour.* »

l'important est que le despote prête l'oreille, et s'intéresse à ce projet de troc dont elle avançait déjà l'idée en octobre 1803 : en échange d'un hymne, Paris et mes millions. Que le dévoué Hochet expose bien clairement à Régnault les termes de la transaction : à l'Empereur l'initiative; on peut m'acheter, mais je ne me vends pas à crédit; livraison après encaissement.

Ainsi parlait, en catimini, l'amazone de la Liberté, l'irréductible, celle qui, dans ses *Dix Années d'Exil* (I, VII) a prononcé, les yeux au ciel : « Notre conscience est le trésor de Dieu; il ne nous est permis de le dépenser pour personne » (1).

---

(1) Benjamin, beaucoup plus patient que Germaine, et calculateur plus avisé, se donnait le luxe de la juger, à voix basse, dans son *Journal intime*, et il y notait, le 12 août 1804 : chez elle, un « *manque de fierté absolu* » et un « *besoin* », incoercible, « *d'être bien avec le Pouvoir* »; en même temps, une « *impossibilité de se contraindre* », qui provoque une « *inconséquence perpétuelle et inattendue dans sa conduite* » et « *la fait soupçonner d'intrigue et de mauvaise foi* » — trop légitimement, hélas, car elle est « *réellement coupable d'une espèce de duplicité.* » (Encore Benjamin est-il, à cette date, porté à l'indulgence envers cette Germaine qu'il cherche toujours à épouser.)

III

1805-1810
OU
ESPOIR PAS MORT

Ce document extraordinaire, d'autres, à peine moins beaux, vont le suivre sous la plume de Mme de Staël.

Je ne sais si Régnault a fait la commission, ni même si Hochet a cru devoir la lui transmettre ; toujours est-il que les semaines passent, fin 1804, sans que Germaine voie rien venir du côté de l'Olympe. Aucune ouverture en réponse à la sienne. Elle renouvelle, pour Joseph, le 7 octobre, son pauvre soupir : je devais partir, dit-elle ; l'Italie m'attend ; mais « *le bruit s'est répandu que, le jour du couronnement, l'Empereur rappellerait tous les exilés* [...] ; *je resterai donc jusqu'au* 15 *novembre, à cause de cette faible croyance.* » Le couronnement est reporté au 2 décembre. Va pour décembre. La cérémonie s'accomplit, mais l' « exilée » n'en bénéficie point. A la mi-décembre, perplexe, elle franchit les Alpes.

Napoléon organise la nouvelle cour. Que de

grands noms! Déjà, avant décembre, Mme de
La Rochefoucauld était de la brigade d'honneur, avec Mmes de Talhouët, de Rémusat,
de Luçay; voici maintenant, dans la suite impériale, MMmes de Chevreuse, de Mortemart, de
Bouillé, de Turenne. Un Rohan est premier
aumônier de l'impératrice; le comte de Ségur est
grand-maître des cérémonies. Divisée comme
elle l'est au dedans d'elle-même, ulcérée, jalouse, Germaine a tenté du moins de retenir
Narbonne; mais ces promotions magnifiques
qui, l'Empereur tombé, exciteront sa verve, si
seulement elle pouvait en être! Puisque toute
la Société française se rallie, qu'il lui serait
facile, vis-à-vis du « monde » — son obsession
— d'entrer, elle aussi, dans la fête! Et ce Napoléon sans entrailles qui la maintient en péni-
tence! Un calvaire.

S'il ne veut pas l'acheter, au moins qu'il lui
restitue ce qu'il lui doit. Les millions-Necker
sont une dette patente, indiscutable, contractée
par la France en 1778. En voilà assez! Que la
France s'acquitte. Son armature gouvernemen-
tale est maintenant suffisamment solide — Dieu
sait! — pour qu'elle ne se dérobe plus à ses
obligations financières. Mme de Staël n'entend

pas lâcher prise. C'est pour elle une question
morale. Comme elle le dira bientôt à Monti
(10-5-1805), il s'agit d'un « *devoir* » qu'il lui
faut remplir à l'égard de ses enfants. En attendant, elle vole, en Italie, de triomphes en
triomphes (1), et lit à l'Académie romaine des
Arts un sonnet qu'elle a composé, dit Constant, « *sur la mort de Jésus-Christ.* » (« Il y a
vraiment du saltimbanque » chez cette femme,
note B. C. dans son Journal; « *si ce sonnet*
parvient en France, ce sera [sur elle] *un ridicule*
d'une nouvelle espèce ; on croira qu'elle a voulu essayer
de la dévotion comme moyen »). Napoléon s'est
proclamé roi d'Italie, le 17 mars 1805, et l'on
annonce qu'il viendra se couronner lui-même
à Milan. Aussitôt Germaine médite de se placer
sous ses pas dans la capitale lombarde, mais,
au dernier moment, elle recule, frissonnant à
la pensée d'une avanie dont le monde entier
parlerait. Elle manquera même, à Turin, le
ministre des Finances qu'elle aurait ardemment
voulu joindre, mais elle verra du moins —
maigre chère — Lucien à Pesaro.

(1) De Rome, le 15 février 1805, Mme de Staël
mande à M. de Bonstetten qu'elle a été reçue, la veille,
aux Arcades, « *avec une incroyable acclamation.* »

6

***

Encore un été à Coppet! Sortir, sortir de
« cette prison »! Le 14 août 1805, Mme de Staël
mande à Maurice O'Donnel (sa passion du
moment) qu'elle sera « *dans deux mois* » en
France, à « *vingt lieues* » de Paris. L'idée lui est
venue de tenter, auprès du Maître, une autre
voie d'approche. Son fils aîné Auguste, qui
aura quinze ans le 31 août, elle va commencer
par l'envoyer à Paris, annonçant qu'elle souhaite
le voir entrer à l'École polytechnique (1), puis

---

(1) Peu importe ce qu'elle pense elle-même de cette
grande institution militaire et scientifique; ce n'est pas
le moment de le dire à voix haute; ce qui compte c'est
que l'Empereur sache l'intention manifestée par Mme de
Staël de voir son fils le servir. Mais Germaine fera tout
bas à Prosper de Barante la confidence de la « *prévention
presque méprisante* » qui est la sienne à l'égard de l'École
polytechnique (cf. les *Lettres* publiées, hors commerce,
par la baronne de Barante, Clermont-Ferrand, 1929,
p. 191). A titre de complément, ces lignes inédites de
Benjamin Constant (lettre écrite par lui, de Coppet,
le 18 octobre 1808, à Mme de Nassau) : l'École polytechnique, « *depuis quelques années* » est devenue « *absolument militaire* »; « *c'est tout ce qu'il faut dans un temps et
dans un pays où l'on ne veut que des mathématiciens et des
soldats; on y nourrit très mal les élèves pour les accoutumer
à l'être plus mal encore sur les frontières de la Pologne ou de
l'Espagne, et on les tient dans une grande gêne, ce qui est
aussi une bonne préparation pour leur vie future.* »

èlle insistera sur la nécessité, pour elle, de l'encourager, sur place, dans ses études, insinuant
que si le gouvernement s'opposait à ce vœu,
trop légitime, elle se trouverait contrainte, alors,
de choisir pour son fils, une école d'Allemagne
(perte cruelle pour la France). Voici donc Auguste à Paris, à la fin d'août 1805, et sa mère
lui adresse aussitôt des instructions précises :

4 septembre [1805].

Je désire que tu voies le prince Joseph et
que tu lui dises que si l'on me retire les vingt
lieues accordées [*plus exactement : évoquées
comme possibles par Fouché*] je serai obligée
de t'ôter de France et de t'emmener dans
quelque grande université étrangère, car, à
quarante lieues, ne pouvant voir ni toi ni
mes amis, je ne ferais que mener inutilement
une triste vie.

Je désire que tu dises la même chose à
Régnault [*de Saint-Jean-d'Angely*] et que tu lui
ajoutes, comme de toi-même, que tu le pries
de dire à l'Empereur que tu es à Paris, et
que tu le consultes [*lui, Régnault*] pour savoir
si l'Empereur écouterait une lettre de toi
pour ta mère.

Dis à peu près les mêmes choses à Fouché.
Pour voir Fouché, il faut prier Mme Récamier de t'avertir quand il sera chez elle.

Que le jeune Auguste, également, par l'entremise de Mathieu de Montmorency, s'arrange pour rencontrer Gaudin, le ministre des
Finances; fais-lui comprendre quel « *grand
malheur* » c'est « *pour toi que ta mère ne puisse
pas plaider sa cause elle-même* »; « *l'affaire de notre
fortune est, je le crains bien, inséparable de celle
de mon exil; ainsi, c'est une double nécessité de
tâcher de s'en tirer* »; et Germaine de faire appel
au sens pratique dont doit être pourvu, substantiellement, le petit-fils d'un banquier :
« *Songe qu'à ton âge mon père a commencé cette
fortune sans laquelle nous ne serions rien.* » Mme de
Staël, on le voit, est trop avisée pour se méprendre sur l'importance de l'argent dans la
« gloire »; toute sa propre renommée littéraire
— elle ne se fait là-dessus aucune illusion —
repose sur les millions Necker; sans la « fortune », qui est la base de tout (Auguste n'est
plus un enfant; il doit maintenant ouvrir
les yeux sur le réel), qu'il le sache, et qu'il
en prenne fortement conscience, sans les
250 000 francs de rente (100 millions-1959) du
grand-père, nous, les Staël, nous n'existerions
pas, socialement.

Coup dur, hélas! Germaine avait présenté,

OU ESPOIR PAS MORT 75

hardiment, par le canal du préfet Barante, une demande de passeport pour Paris, ou sa proximité immédiate. Elle ne se doutait pas que l'Empereur avait lu, grâce à la diligence de son cabinet noir, la lettre qu'elle avait adressée à Narbonne, au printemps, daubant sur la nouvelle noblesse d'Empire, tournant en dérision ces grandeurs dont elle n'était point. Le 29 août, du camp de Boulogne, Napoléon écrit à Fouché : « *Je ne suis pas assez imbécile pour la vouloir à Paris* [...]; *elle s'arrêtera à quarante lieues.* » Et Barante a dû, consterné, faire part de ce refus à la châtelaine. Le 11 septembre 1805, Germaine arrose de ses larmes le billet qu'elle griffonne, ce jour-là, pour son fils : « *Je n'aurais jamais eu le courage de t'envoyer en France si j'avais pu prévoir que je ne t'y suivrais pas, et ce dernier coup m'a douloureusement affectée.* » Reste Joseph, tout de même, le bon Joseph; « *je mets un grand intérêt à ce que tu voies le prince Joseph, s'il en est encore temps, et je suis fâchée que tu n'aies pas imaginé d'aller chez lui tout de suite* [...]; *je voudrais que tu obtinsses de sa bonté qu'il m'écrivît, après avoir vu son frère, ce qu'il me conseille, ce qu'il peut m'obtenir pour cet hiver* » (14 septembre 1805). Que ce petit Auguste est donc mou! Il a vu le Prince, et il ne lui a pas touché mot de l'essentiel; c'est ridicule! On dirait même que cet enfant ne comprend rien aux raisons qui portent sa mère à mettre un tel prix au séjour dans la capitale des Français; « *je n'ai pas été contente de ce que tu n'as point parlé de moi au Prince Joseph, dimanche, chez lui; c'est une perte irréparable [...]; tu as pris trop légèrement ce qui est une affreuse peine pour moi* »; et Mme de Staël hausse le ton; elle ne cache point à son fils qu'elle tolérerait mal le « *penchant* » qu'il semblerait avoir « *à juger sa mère et à trouver qu'elle ne devrait pas désirer ce qu'elle a, apparemment, des motifs pour désirer* » (18 septembre); elle menace même (26 septembre) de le « *rappeler* », tout bonnement, à Coppet s'il continue à se montrer, à Paris, à ce point inefficace. Allons! Qu'il serve à quelque chose! « *Je souhaiterais que tu visses Fouché, chez Mme Récamier ou chez lui* » *(Id.).* Benjamin Constant « *ira à Paris dans quelque temps, et vous causerez ensemble de ce que je ferai pour te revoir* » (23 octobre). Le 24 novembre (1), elle recommande

---

(1) C'est en novembre 1805 qu'a lieu le krach Récamier. On connaît la lettre de condoléances que Germaine écrivit alors à Juliette : « *Vous avez perdu tout ce*

à Auguste d'aller voir Garat; il y va, docile,
mais, toujours navrant, ne lui dit rien de ce
qu'il fallait dire : « *J'aurais souhaité que tu lui
parlasses de mes intérêts* » (1er décembre). Quel
petit serin! Il n'y a rien, décidément, à tirer
encore de ce gamin sans bon sens! Il ne voit
donc pas que sa mère va périr si son salon
parisien ne lui est pas rendu! Elle met pourtant
assez les points sur les i : « *Je trouve plus court
de mourir que de ne pas vivre* » (*Id.*).

Germaine s'acharne. Elle se persuade qu'elle
finira bien par ébranler le Grand Seigneur à
force de harcèlements. Monti, le poète italien
à qui elle a un peu tourné la tête, doit faire
partie, en janvier, de la délégation officielle
qui va féliciter le héros d'Austerlitz. Qu'il
n'oublie pas, à Paris, les intérêts de celle qui
chérit les muses autant que lui! S'il ne peut

---

qui tient à la facilité et à l'agrément de la vie [etc...] » (ces
lignes sont datées de novembre 1806 par Mme Lenor-
mant; c'est 17 novembre 1805 qu'il faut lire). Il n'est
pas sans intérêt d'observer que Mme de Staël avait
d'autres raisons que celles du cœur pour être émue par
l'événement; le 24 novembre 1805, elle déclare à son
fils : « *C'est un grand étonnement pour moi que tu ne m'aies
pas encore parlé de la faillite de M. Récamier; il me semble
qu'elle doit t'inquiéter pour nos affaires et t'affliger comme
sentiment.* »

s'entretenir avec le souverain lui-même, qu'au moins il intercède auprès de Talleyrand. Et Auguste, va-t-il enfin se montrer bon à quelque chose? Le 3 janvier 1806, sa mère lui fait tenir deux lettres capitales, l'une pour Joseph, l'autre pour l'Empereur lui-même; ces documents (qu'il en prenne « *le plus grand soin* »; qu'il les cache, d'abord, dans un portefeuille à l'abri de toute indiscrétion; « *quelque chose qui ferme* », lui dit-elle), « *quand tu sauras que l'Empereur est à Paris, le matin ou la veille du jour où il recevra les honneurs du triomphe, tu les porteras chez le Prince Joseph, avec un mot de toi, très instant, disant que tu demandes mon retour pour le jour du triomphe* [...]. *Si l'Empereur ne venait pas à Paris, il ne faudrait pas lui remettre cette lettre.* » Rectification, le 14 janvier : cette supplique que je t'ai confiée, « *je te prie de la remettre à l'Empereur dès qu'il sera à Paris, car le triomphe est renvoyé au mois de mai.* »

Germaine frappe à toutes les portes. Elle fait toucher Murat et Junot pour qu'ils plaident sa cause; elle gémit auprès de Joseph; elle tient en haleine Mathieu de Montmorency pour qu'il soit à l'affût des moindres occasions de dire un mot en sa faveur; elle compte sur Gérando, qui est maintenant secrétaire du ministre de l'Intérieur, Champagny. Elle s'est même adressée à M. Agier, qu'elle connaît un peu et qui, nommé vice-président du Tribunal civil en 1802, passe pour avoir l'oreille de l'Empereur. Elle lui a écrit en février, et la réponse qu'elle reçoit la suffoque. Il ne s'agit de rien de moins, paraît-il, que d' « *annuler* » la créance Necker. C'est inouï! Germaine s'est ruée sur son écritoire :

Genève, ce 4 mars [1806].

J'ai eu de la peine, monsieur, à en croire mes propres yeux lorsque j'ai vu, dans la lettre du 25 février que vous m'avez fait l'honneur de m'écrire, qu'il était question d'annuler en entier la créance j'ose dire la plus sacrée que l'État ait à payer. Je croyais que le décret sur les émigrés ne s'appliquait qu'aux amnistiés et non pas à ceux qui étaient rayés longtemps avant le Consulat. Je croyais surtout qu'on ne pouvait pas parler de l'inscription de mon père, étranger, de mon père dont la Convention même n'a pas cru devoir confisquer le bien, et dont,

par un décret rendu dans le plus affreux
moment de la Terreur, en 1793, elle n'a fait
que suspendre la liquidation; de mon père
enfin... [*sic*], mais je m'arrête, car j'aurais
trop de choses à dire.

M. Necker n'a été inscrit momentanément
sur la liste du département de la Seine que
pendant le procès du roi, parce qu'il fit un
mémoire pour le défendre, et il a été rayé
comme étranger par le Directoire en 1798.
D'après toute la rigueur des lois même révo-
lutionnaires, et d'après les conditions du
traité de réunion de la République de Genève,
je suis si persuadée de l'évidence de ma cause,
je suis si persuadée qu'il n'est pas un honnête
homme à qui le nom de M. Necker soit
connu qui ne fût révolté de l'idée que sa
famille serait dépouillée du dépôt qu'il a
confié à la loyauté française, que j'en appelle-
rais publiquement et avec confiance à Sa
Majesté l'Empereur et aux membres du gouvernement par un mémoire authentique. Il
est cruel de penser que mon exil ne me permet pas de plaider ma cause moi-même à
Paris et qu'une mère de famille se voit à la
fois refuser et son bien et sa patrie, et ce qui
lui est dû et le moyen le plus simple et le
plus légitime pour réclamer ce qui lui est
dû. Mais, sans m'arrêter à cette circonstance
qui peut toucher votre âme juste mais n'a
point de rapport avec vos attributions, je
prends la liberté de vous demander, monsieur, quelle est la loi qui prive mes trois

enfants du bien de leur respectable père? Quelle est la loi qui les prive de la fortune d'un homme qui a servi l'État sept ans sans appointements et qui a cautionné, avec ces mêmes deux millions, l'approvisionnement en blé de Paris menacé par la famine? Si cette loi existe, j'en demanderai hautement la révocation, mais, de grâce, monsieur, faites-la-moi connaître le plus tôt possible afin que je la réfute dans mon mémoire avant qu'il soit distribué.

Tant que je vivrai, tant que mes trois enfants existeront, nous réclamerons sans relâche contre la plus criante injustice que l'on pût concevoir et je suis sûre, monsieur, que nous aurons votre opinion pour nous.

J'attends de votre bonté, et permettez-moi de dire de votre respect pour la mémoire d'un si fidèle serviteur de la France, que vous voudrez bien me fournir les arguments qui doivent entrer dans mon mémoire, si votre position ne vous permet pas de faire révoquer l'incroyable refus du conseil de liquidation, ou de porter vous-même à Sa Majesté l'Empereur ma juste plainte et ma ferme conviction que Sa Majesté, en lisant mes raisons, ne permettra pas qu'une telle cause soit perdue sous son règne.

Agréez, monsieur, l'hommage de ma haute considération.

Necker Staël de Holstein.

Ce n'était qu'une taquinerie du Maître. Napoléon n'entend pas faire annuler la créance
Necker. Il ne veut pas, pour l'instant, verser
à Mme de Staël l'argent qu'elle réclame si fort,
voilà tout. En vain Agier intercède. Le
jeudi 19 juin, « au lever de Sa Majesté », il
lui demande si Elle trouverait bon qu'il établît un rapport sur l'affaire, et Sa Majesté
l'en dispense, « *n'ayant*, dit-Elle, *pas de motif
d'accorder à Mme de Staël cette faveur.* »

Le 19 avril 1806, Germaine est venue s'ins-
taller au château de Vincelles, près d'Auxerre
(le château appartient à un banquier suisse,
Bidermann). Elle a résolu, cette année, d'envoyer ses deux fils à Paris, non seulement
Auguste mais Albert, qui aura quatorze ans
à l'automne. Deux prétextes au lieu d'un pour
solliciter de l'Empereur un geste de clémence.
Barante, préfet de Genève, a signalé, comme
il le devait, le départ de Mme de Staël, attestant
que la dame, « pendant l'année presque entière
qu'elle vient de passer à Genève ou dans les
environs », s'est montrée tout à fait convenable
et « *très réservée* »; c'est uniquement, précise-
t-il, parce qu'elle a « *de grands intérêts de fortune* »
à « *discuter* » qu'elle a désiré « *s'approcher de*

Paris autant qu'il lui est permis de le faire ».

Le 14 juin, d'Auxerre elle écrit à un correspondant (1) : « *Je reste tristement où je suis, sans rien obtenir ni pour ma fortune, ni pour mon exil. Tous les huit jours, on m'assure que ce sera fini la semaine prochaine et ce qui dure, c'est la douleur* »; « *je suis bien de votre avis sur mes imprudences,* ajoute-t-elle, *et la vie, qui est plus sévère que vous, m'en punit cruellement; mais reste à savoir s'il n'est pas d'une nature généreuse d'être imprudente dans la jeunesse. A présent, je n'ai plus cette excuse; je suis sage; mais c'est trop tard.* » Faut-il prendre au sérieux ce qui suit? « *Dans l'état actuel des choses, on exige de ceux qui sont connus plus que le négatif, et moi je ne suis plus capable d'aucune action.* » Devons-nous comprendre qu'on « exigerait » d'elle, pour lui faire grâce, des louanges publiques dont ne saurait s'accommoder la noblesse de son âme? Je crains que Mme de Staël ne s'honore ici de ce qui n'est chez elle qu'une prudence trop raisonnable, et ne se crédite d'une fierté qui n'est guère que l'effroi

---

(1) Bibliothèque de Genève; manuscrits Staël. Le 3 mai, elle avait déjà confié à Don Pedro de Souza : « *Je suis comme le premier jour dans la plus profonde ignorance sur ma pétition* [...] » [la « pétition » remise par Auguste].

de se compromettre pour rien. « *Ne plus écrire,
ne plus parler, ne plus penser, c'est tout ce que les
morts peuvent offrir, et, moi, je suis morte.* » Une
autre lettre — 15 juillet 1806, à Frederikke
Brun — nous apprend que Germaine se sus-
pend encore à l'espoir d'une mesure de bonté
dont elle bénéficierait peut-être à l'occasion de
la fête impériale du 15 août. Faible chance.
« *J'attends ce 15 août*, dit-elle, *non comme une
espérance, mais du moins comme le jour où je cesserai
d'en avoir*. »

Août s'écoule, et l'Empereur reste de pierre.
Après Auxerre, en septembre, Mme de Staël
se loge à Rouen, toujours à l'extrémité du rayon
fatal. Elle y passe deux mois et le préfet de la
Seine-Inférieure — Savoye-Rollin, un galant
homme — pourra, en date du 27 novembre,
garantir aux autorités parisiennes que « la
conduite qu'elle y a tenue » ne saurait donner
lieu à « *aucune observation défavorable* ». Toute
cette sagesse que Germaine s'impose ne lui est
d'aucun profit (1). En vain, Auguste fait quel-

(1) En novembre 1806, Mme de Staël négocie l'achat
d' « *une terre à douze lieues de Paris* »; « *ce sera triste*, écrit-
elle le 15 novembre à Bonstetten, *de passer l'hiver à la
campagne, mais ce triste est l'objet de toute mon ambition.* »

ques démarches (du 7 novembre 1806, à sa
mère : « *Je viens de chez M. de Gérando ; après
toutes les peines du monde, je suis entré dans son
bureau, mais il était avec le ministre. Je saurai
l'adresse de Malouet à la Marine* »), le 31 décembre
— Mme de Staël est maintenant au château
d'Acosta, propriété Castellane (1), près d'Au-
bergenville, Seine-et-Oise — Napoléon, du
fond de la Pologne, écrit à Fouché : « *Ne
laissez pas approcher de Paris cette coquine.* »

Le 16 janvier 1807, cependant, le préfet de
Versailles est autorisé à admettre que Mme de
Staël s'établisse à « trente lieues » de Paris, et
non plus quarante. C'est là une prévenance de
Fouché, qui s'explique par les dessous de la
politique. Des mouvements souterrains se des-
sinent à Paris. Un grouillement se forme,
comme en 1802, autour de quelques généraux
(Malet, notamment) qui murmurent, à voix
basse, prophétisant, espérant, quelque désastre
militaire dont ils tireraient avantage — pour
le bien du pays, cela va sans dire. Et Fouché
prend ses sûretés, doucement, du côté de cette

----

(1) Castellane, ancien ami et complice de Talleyrand
sous le Directoire, est devenu préfet des Basses-
Pyrénées.

équipe, pour le cas où, demain, elle serait la
gagnante. Une rumeur étrange court la ville :
vous verrez, dit-on, l'Empereur va se faire
battre, cette fois, et il pourrait très bien, même,
y rester... La correspondance de Benjamin Constant porte la trace de cet espoir. Il parle, à mots
couverts, à sa tante, en janvier 1807, d'une
« *grande nouvelle* », attendue d'un moment à
l'autre. La « grande nouvelle » arrivera en effet,
au mois de février, mais non pas telle que Benjamin la souhaitait. Inverse. Napoléon n'a pas
péri. Une fois de plus, il est victorieux (Eylau,
8 février 1807). Mais il semble — *utinam!* —
que ce nouveau succès n'ait rien de décisif, et
qu'une chance subsiste encore de voir la France
écrasée.

La mise au jour, en 1952, du *Journal intime*
de Constant sous sa forme, enfin, complète
pour l'année 1807, a constitué un événement
qui passa beaucoup trop inaperçu. Les plus
curieuses révélations nous étaient apportées là.

Au mois de janvier 1807, Germaine est en
proie à une surexcitation fébrile. Tablant sur
une défaite, pour le moins, de cet Empereur

qui ne veut d'elle ni dans sa Cour ni même à
Paris, elle « tracasse » pis qu'en 1802. Et si
elle se trompe dans ses pronostics? Et si rien
n'arrive que d'heureux, toujours, pour le
Maître? Elle est en train de se conduire, à
nouveau, comme une insensée, et Constant la
retient tant qu'il peut, car il est autrement,
quant à lui, circonspect. *Journal intime*, 15 janvier 1807 : Mme de Staël « *médite un changement
dans son établissement* »; Acosta ne lui suffit plus;
elle veut acheter, oui, acheter, un château à
Franconville, tout près de la capitale, le château de Cernay (1). Quel besoin a-t-elle de
bouger en ce moment? Qu'elle observe d'abord
l'évolution des choses. Mais non, elle s'agite,
s'agite, et tout cela peut tourner très mal.
« *S'il lui en mésarrive* », note B. C., faire en sorte,
en tout cas, « *qu'elle ne m'y entraîne point.* »
Deux ans plus tard, *Cécile* aura là-dessus d'élo-
quents paragraphes : « *J'avais réussi à guider*

(1) Le 6 janvier 1807, à Mme Savoye-Rollin, femme
du préfet de Seine-Inférieure, une amie, maintenant,
Germaine confie : « *Je cherche à pouvoir acheter une maison
près de Saint-Germain* [...]. *Le préfet du département de
Seine-et-Oise m'a écrit, le plus gracieusement du monde, que
tout son département m'était permis, mais je ne sais pas s'il
n'entend pas la lettre plus que l'esprit de l'ordre.* » (Bibliothèque de Genève; manuscrits Staël).

7

assez bien Mme de Malbée [c'est Germaine] *dans
ses démarches pour diminuer la rigueur de son
exil* [...] *lorsque son imprudence et le peu de cas
qu'elle fit de mes conseils attirèrent sur elle des per-
sécutions nouvelles* [...] »; « *elle s'exposa sans calculer qu'elle compromettait ses amis autant qu'elle-
même* », et se montra, ainsi qu'on pouvait
le prévoir, « *sans reconnaissance et sans force
d'âme* » (1).

Pour lui, Constant, son jeu est serré. Continuer, comme il s'y emploie depuis 1802 (pour
mieux dire, depuis le 5 janvier 1800) à ne susciter aucune critique de la part du gouvernement, et publier, le plus tôt possible, cet ouvrage qu'il a depuis des années en chantier et
qui lui procurera (*Journal*, 12 janvier 1807) « *la
place et la réputation* [qu'il] *mérite* ». Il s'agit de
son grand livre *De la Religion*, entrepris jadis
dans le dessein de prouver que la « mythologie
chrétienne » est du même type, aussi ridicule,

---

(1) Rappelons-nous aussi l'engagement que la prudence de Benjamin avait fait signer à sa maîtresse, le
5 décembre 1803 (bien en vain, hélas!) : « Je prie Benjamin de me rappeler, si jamais je me retrouve paisible
à Paris, que *je lui donne le droit absolu de m'empêcher* de faire
toute démarche, depuis la plus petite jusqu'à la plus
importante qui pourrait compromettre en rien mon
repos, et surtout celui de mon généreux ami. »

que la mythologie païenne, mais dont l'orien-
tation s'est sensiblement modifiée. Le livre,
désormais, serait dans la note du jour; « philosophique », certes, mais beaucoup plus tolé-
rant à l'égard de la Superstition. Telle phrase
du *Journal intime* fournit assez bien la nuance,
éclairant les dispositions de Benjamin et ses
rapports d'aujourd'hui avec les « christicoles ».
Le temps n'est plus où il faisait (1798) envoyer
au bagne le curé de Luzarches; le successeur
de ce prêtre, il l'invite maintenant à sa table :
« *Donné à dîner à mon curé* [...]. *Les bêtes sont une
corporation respectable, car elle forme toujours la
majorité* » (7-1-1805). B. C. va donc tenter
d'achever son livre, ce qui le posera, car il
n'a jusqu'ici, pratiquement, aucun bagage de
publications. (Ses brochures du Directoire l'em-
barrassent; il a toutes raisons de souhaiter que
personne ne les déterre.) Mais que Germaine
n'aille pas encore attirer sur lui des animosités
désastreuses! Leurs noms demeurent mal sépa-
rables, par la faute, hélas, de sa « faiblesse »,
des commodités que lui apportent les rentes
de Germaine et de la terreur où il est des représailles que cette personne ne manquerait pas,
s'il la quittait, d'exercer contre lui. Cepen-

dant, depuis la mi-octobre 1806, Benjamin est l'amant, en secret, de cette Mme Dutertre, ex-Marenholtz, née Hardenberg, qui serait toute prête à divorcer une seconde fois pour l'épouser, et qui, ma foi, serait épousable. Mais toute la réalisation des plans qu'il édifie tient, d'abord, à sa tranquillité maintenue. Pas d'histoires avec les pouvoirs publics. Surtout pas !

Benjamin Constant est un lièvre. Apeuré sans cesse, et qui vit l'oreille tendue. Le 22 janvier 1807, il connaît une vive alerte. On assure que Mme de Staël va se faire chasser d'Acosta. C'était couru ! Et B. C., immédiatement, commente : « *Le moment de la crise est donc arrivé. Ce n'est pas le cas d'agir d'impulsion. Il n'y va pas moins* [pour moi] *que d'être traité comme elle* », et c'est ce qu'il entend éviter à tout prix. Constant se précipite à Paris, ce 22 au soir ; il y a des amis dévoués et puissants. Son angoisse se dissipe. Faux renseignements. Les bureaux de l'Intérieur n'ont aucune intention malveillante. Ils accordent même volontiers un séjour de « *deux mois et demi* » encore à Mme de Staël chez Castellane. Et ce que Benjamin a discerné, en haut lieu — son pouls s'est accéléré ; il en reste un peu haletant — c'est, oui, on le dirait bien, comme un désir de rapprochement à son adresse. « *On veut se raccommoder.* » Fait nouveau, d'importance majeure. Est-ce en vue d'une disparition soudaine, toujours possible, du Chef? Mais même avec l'Empereur bien assis sur son trône, le « raccommodement » a des charmes que l'on ne saurait négliger. « *Dignité et prudence.* » Beaucoup de prudence, en particulier, à l'égard de Mme de Staël. Quel tour à lui jouer, cette rentrée en grâce! Mais il y faut une souplesse extrême. Ne se découvrir qu'à l'instant où il sera bien abrité. « *Pensé toute la nuit à mon affaire* [...] *Allons prudemment* [...]. *Mon sort est dans mes mains.* » (24 janvier 1807, matin.) La sagesse est tout de même de toucher un mot à Germaine de l'opération éventuelle, mais très délicatement, et en faisant miroiter à ses yeux les bienfaits qu'elle en pourrait elle-même retirer. « *Il faut l'intéresser à ma chose; mais je la ferai sans elle* » (24 janvier 1807, soir; après une nouvelle visite à Paris).

B. C., dans le plus grand secret, s'est ouvert à Mme Dutertre de la chance qui, peut-être bien, s'offre à lui. Et il a eu le déplaisir de constater que Charlotte, qui est Allemande, et qui déteste Napoléon, désapprouve avec emporte-

ment son idée. Voyez-moi ça! Eh bien, qu'elle
désapprouve! Elle s'y fera. Et si elle ne s'y
fait point, le mariage avec elle n'est pas encore
conclu. (Il a ses inconvénients, du reste, ce
mariage, en dépit des revenus « considérables »
de Charlotte; deux fois divorcée, serait-elle bien
reçue dans les salons parisiens?) « *Je ne veux pourtant pas me sacrifier à des femmes!* ») (22-1-1807.)
Celle-ci, maintenant, après « *l'autre* » (15-1-1807),
qui contrarierait sa carrière? On aurait tout
vu! Le mariage-Charlotte, oui, « *si je peux*;
mais le raccommodement, s'il est possible, avant tout »
(31 janvier 1807).

Puis, comme toujours lorsqu'il s'agit de ses
intérêts temporels, B. C. s'enfonce dans l'hési-
tation. Est-ce si bien « calculé » qu'il l'avait cru
d'abord, ce ralliement visible, militant? N'est-ce
pas très périlleux? Passer dans le camp impérial,
alors que l'empire peut s'écrouler d'un moment
à l'autre, c'est endommager l'avenir. Oui mais,
quand, cet avenir? Et si Napoléon persiste
cinq ans, dix ans, vingt ans? L'autre hypothèse
est tout aussi valable; Napoléon tué, ou battu
et contraint à l'abdication, l'an prochain, cette
année... Benjamin cherche à se convaincre que,
« raccommodé », il ne serait pas heureux. Et

ce qu'il écrira plus tard, très finement du reste,
à Hochet sur Prosper de Barante, s'ajuste à
lui-même, de manière parfaite, lorsqu'il se repré-
sente son propre état d'âme au sein d'un ralliement fructueux : « *Prosper marche à pas de
géant* », dira-t-il à Hochet le 7 avril 1813 ; « *il
se pardonne d'en être content en s'estimant de n'en
pas être heureux.* » Être « *content* », dans cette
triste vie, c'est bien, au fond, l'essentiel, quand
on est sainement réaliste. Et Benjamin pousse
son affaire. Le 1er février 1807, le voici à Paris,
de nouveau. « *Entrevue* [avec qui?]. *On me veut
quelque chose, mais quoi? Peut-être m'estime-t-on
trop pour me le dire* » (2-2-1807). Benjamin est
flatté de ce respect qu'on lui témoigne ; mais
il est des cas où la considération revêt une
allure punitive. Il se risque. Il prend les devants.
« *Travaillé à un article dans le sens du raccommodement* » (3 février) ; « *achevé l'article* » ; « *porté
l'article* » (7 février). C'est fait. Benjamin a
sauté le pas. En présence d'un avantage à saisir,
immédiat, B. C. sera toujours incapable de se
retenir.

Il ne néglige pas, d'ailleurs, d'aider, de
« guider » Mme de Staël. Cette propriété de
Cernay qu'elle veut acquérir et qui la mettrait

aux portes même de la capitale, Benjamin s'efforce d'obtenir pour elle la permission d'y
séjourner. « *Elle réussira par moi seul. S'en ser-
vira-t-elle pour dire du mal de moi? C'est très
probable.* » B. C. est sans illusions sur les pro-
cédés de Germaine. C'est la vie. Chacun pour
soi. En ce qui le concerne, il s'inquiète. Cet
« article » caressant qu'il a rédigé, et remis, il
se demande à présent s'il a bien fait de l'écrire.
Il se déprécie par cet empressement. Il s'expose
à faire baisser le tarif. Le 20 février, Constant
déjeune avec son ami Rousselin et, le 21, il
voit Fouché. « *Consentement tacite pour Cernay.* »
Mais il ne s'est pas borné, on le pense bien, à
parler pour Mme de Staël. Sa conversation
avec Fouché a eu des sujets plus sérieux. L'ar-
riviste brûle ses vaisseaux. *Journal intime*, 21 février 1807, au soir : « *Fait un article pour Fouché* »; un article « *bien violent* »; trop; ce zèle
est inopportun; 22 février : « *Achevé mon
article, moins violent et meilleur.* » Le lendemain,
B. C. porte son travail au ministre. Fouché lui
a paru « *moins amical, plus soucieux* »; sans doute
à cause d'un « *retour* » possible, probable, de
l'Empereur. Fouché en est averti : le Maître,
entre deux victoires, veut revenir à Paris, brus-

quement, pour terrifier les comploteurs. *Journal de B. C.*, 24 février : « *Nouvelles. Elles jettent dans des réflexions.* »

Essai avorté, en fin de compte, l'opération « *raccommodement* ». Du moins Constant a-t-il été assez discret pour pouvoir raisonnablement espérer qu'il n'y aura aucune « fuite » et que l'histoire de sa tentative ne sortira point des ténèbres.

Parallèlement, Mme de Staël a mis la dernière main à son roman *Corinne* qui va paraître fin avril. Doit-elle se résoudre à faire ce dont elle ne voulait point, il y a trois ans : livrer d'avance la marchandise? « Louer » l'Empereur tout de suite, au risque de s'aventurer dans un marché de dupe? En janvier, le problème ne se posait pas; mais après Eylau? « *Si je louais*, écrit Germaine à Monti, le 13 février 1807, *j'aurais l'air de mendier ce qui m'est dû.* » Elle frémit à la pensée de « louer » sans résultat. Elle aura bonne mine avec ses éloges si le dieu les dédaigne! Toute la honte et pas de profit. Germaine aime mieux s'abstenir. Le roman d'amour qu'elle va publier ne peut, du moins, lui être nuisible. Peut-on rêver de sa part « *occupation plus innocente* »? *Corinne*, pur livre de songes, « *doit désarmer* », non? dit-elle à Juliette, mais en ajoutant, le cœur lourd : « *Si quelque chose désarme...* » (1).

César, en effet, ne « désarme » guère. Le 4 mars, Fouché a montré, devant Benjamin, une « *grande résistance pour Cernay* » et, le 7, Mme de Staël qui était en route, qui devait, ce jour-là même, procéder à son installation, est stoppée en chemin. Cernay lui est interdit. La vallée de Montmorency est comme « un faubourg » de la capitale. Le gouvernement consent à tolérer, jusqu'en avril, la présence de Mme de Staël au château d'Acosta, mais pas plus près. Et, en avril, c'est à « quarante lieues » de Paris qu'elle devra se retirer. Les « trente lieues » sont révoquées. Alors, pour la quatrième fois, Germaine écrit à son tortion-

(1) Le 15 novembre 1806, de Rouen, Germaine avait dédié à M. de Bonstetten ce sanglot : « *Quand je pense que j'ai été élevée dans un temps où la gloire littéraire était la première de toutes, je crois avoir changé de planète !* » Et elle ajoutait : « *Corinne est sur le point d'être achevée.* » Autrement dit : si la France cessait d'être un monde renversé, si l'ordre naturel cessait d'être absolument perverti, Germaine redeviendrait ce que le bon sens et la justice veulent qu'elle y soit : la rayonnante, l'incomparable devant qui le souverain lui-même se devrait prosterner.

naire. Le prétexte est de lui offrir sa *Corinne*.
Elle n'irait pas, bien sûr, l'importuner avec
l'anecdote de ce château vainement acquis par
elle. Une allusion suffira (1). Mme de Staël
tient à faire hommage de son nouveau chef-
d'œuvre au souverain des Français. Ces
louanges que Germaine hésite à donner au
Maître en public, crainte d'une déconvenue
mortifiante (elle prendra même soin de se vanter,
auprès de sa petite cour : vous avez vu? pas
un mot de préface à *Corinne!* pas une syllabe
de ma part en l'honneur du despote!), elle ne
les refuse pas à l'Empereur lorsqu'elle ne
s'adresse qu'à lui seul. Moins un hymne, il
est vrai, sa lettre, qu'une complainte. Déjà,
remettant à Gérando un exemplaire du roman
à l'intention de Champagny le ministre, Germaine lui a demandé, pressante, d' « *engager* »
Champagny à « *bien écrire de* Corinne *à l'Empereur* », à en célébrer chaudement, devant lui,
les mérites. Germaine compte bien que l'Eu-

---

(1) Mme de Staël a acheté Cernay? Elle le revendra,
c'est tout simple. Le vendeur est tout prêt à le lui reprendre, avec 10 000 francs de perte pour elle. Aucune
importance. Qu'est-ce que 10 000 francs — 4 millions
1959 — pour la fille de Necker? Nous savons ces détails
par une lettre de Morellet à Rœderer.

rope — ses correspondants titrés d'Allemagne
et d'ailleurs — ne sauront rien de sa missive,
toute confidentielle, au Tyran. Elle l'aura dis-
simulée si bien que le texte nous en reste in-
connu. Mais on glose, dans Paris, en ce printemps de 1807, sur la supplique de l' « exilée »
(« *une lettre dont elle attendait beaucoup* », dit
Morellet à Rœderer, le 12 mai) et les dépêches
de l'Empereur nous apprennent ce qu'il en
pensa. « *Cette folle* », signale le Maître à Fouché,
en date du 11 mai 1807, « *m'écrit une lettre de
six pages qui est un baragouin.* »

Les dépêches de Napoléon à Fouché concernant Mme de Staël, en avril-mai 1807,
forment une série colorée. L'Empereur sait tout
ce qui se passe dans ce Paris dont il est loin et
où des convoitises grondent. On lui commu-
nique, par chaque courrier, la liste des visiteurs
que reçoit Germaine; pas un geste d'elle, pas
une parole, qui ne lui soient aussitôt rapportés.
D'où ceci, du 18 avril 1807 : « *J'ai des faits
devant moi. Cette femme est un vrai corbeau. Elle
croyait déjà la tempête arrivée* »; et ceci, du 19 :
« *Vous verrez par cette lettre* [une lettre inter-
ceptée] *quelle bonne Française nous avons là* » et
« *les projets de cette ridicule coterie, en cas qu'on*

eût le bonheur que je fusse tué »; « *cette putain* »
mérite seulement « *que je la laisse dans son Coppet* »; du 3 mai : « *J'espère que vous n'aurez plus
la faiblesse de remettre sans cesse en scène Mme de
Staël* [...]. *Elle ne doit plus sortir de son Léman;
c'est une affaire finie* ». (De l'humanité, du reste,
chez Napoléon; 7 mai : « *Ne pas ôter à Mme de
Staël l'espoir de revenir à Paris et d'y recommencer
son clabaudage, c'est accroître les malheurs de cette
femme* »; 11 mai : « *Je vous répète que c'est tourmenter injustement cette femme que de lui laisser
ses espoirs* »).

Ratée, comme on voit, ratée pitoyablement,
la voltige de Germaine autour de l'Empereur.
Bon. Mme de Staël s'en ira; et pas seulement
à quarante lieues de Paris, mais à mille; en
Autriche. O'Donnel est là-bas, consolateur, et
les salons de Vienne offriront à Germaine un
bel auditoire pour ses anathèmes — lesquels
n'empêcheront ni les regrets, ni les reprises
d'espoir, ni de timides avances. Mme de Staël
se doute bien que ses lettres pour Vienne sont
décachetées et transcrites. C'est pourquoi, le
14 juin, elle déclare à O'Donnel : on m'assure
« *que les deux millions qui me sont dûs seraient*
[déjà] *payés si j'avais mis certaines paroles dans*

Corinne; *mais comment pourrais-je exprimer de
la reconnaissance pour une double injustice?* » En
d'autres termes, à l'intention du cabinet noir
et du Maître : ma proposition tient toujours;
ma « reconnaissance » est à vos ordres, Sire, ma
reconnaissance publique et imprimée, dès que
j'aurai mon argent, et Paris. Et lorsque l'on a
appris, à Coppet, la paix de Tilsitt, Germaine a
laissé fuir, vers Gérando et « son » ministre,
ce gémissement : « *Voilà la paix! Je ne sais si
elle s'étendra jusqu'à moi* » (16 juillet 1807). Du
27 juillet 1807, à Rousselin : « *Pourrez-vous
me savoir, au grand retour* [Germaine souligne
l'adjectif « *grand* »; il s'agit du retour de l'Empereur à Paris] *si* Corinne *a fait* [sur le Maître]
*une bonne ou mauvaise impression et s'il faut que
j'aie encore un hiver, et peut-être plus, d'expatriation* [...]. *L'exil est un long et lourd malheur.* » (1)

Au début de décembre 1807, morne, abattue,
Mme de Staël se met en chemin. Elle adresse,

(1) Bibliothèque de Genève; manuscrits Staël. Berthier, du moins, qui est « prince de Neuchâtel », parle
de *Corinne* avec des transports, et fait lire ce livre à
tous ses amis. Germaine, certes, s'en félicite; mais
Berthier n'est pas Bonaparte. Je crois peu, jusqu'à
preuve du contraire, à la rumeur, qui courut alors, d'un
mariage possible entre Germaine et Berthier.

avant de partir, à M. de Barante, préfet de
Genève, une lettre qui est destinée à passer
sous les yeux de l'Empereur. « *J'ai éprouvé tant
de malheurs pour avoir été purement mal jugée que
je sens le besoin de rendre compte moi-même à l'autorité de mes démarches* »; oui, purement et simplement « *mal jugée* », incomprise. Veuille Sa
Majesté entendre cette protestation d'inno-
cence, et noter aussi à quel point Mme de
Staël essaie peu de faire la frondeuse; soumise,
au contraire, déférente, attentive à ne plus déplaire. Si elle se rend « *dans le Midi de l'Allemagne* », c'est à seule fin de « *placer* [son] *fils
cadet dans une pension où il puisse bien apprendre
l'allemand.* » Aucun mauvais dessein, chez elle;
jamais de mauvais desseins. Comment a-t-on
pu commettre, à son égard, les méprises qui
lui ont été si funestes? Une tragique erreur sur
la personne, voilà le vrai.

Barante a certainement transmis à Paris cette
lettre du 3 décembre. Le *Journal de l'Empire*
n'en contiendra pas moins, le 15, un alinéa
exécrable, à propos d'Auguste de Prusse : que

le prince a été bien mal inspiré en allant faire
un séjour à Coppet; que ses comportements
s'en sont tout de suite ressentis; et que, visible-
ment, le jeune homme reste sous l'influence
des « *mauvais esprits* » qu'il y a rencontrés, des
« *mauvais propos qu'il y a entendus* » (1).

Benjamin Constant lit cet entrefilet le 19 décembre et en reçoit une commotion. Il est visé,
la chose est claire, aussi bien que Mme de
Staël. « *Mauvais esprits* », au pluriel; c'est dans
le texte. Et lui qui, la semaine dernière, épou-
vanté à la pensée que Germaine a dû apprendre
ce qu'il a fait (rejoignant Charlotte dès que
« *l'autre* » eut tourné le pied), vient d'envoyer
à la « voyageuse » des lettres torrentielles pour
lui jurer un attachement à la vie, à la mort!
Benjamin ne trouvait plus aucun agrément à
Charlotte. Elle l'assommait. Il avait été odieux
et d'une brutalité cynique avec elle. Que lui
avait-il pris d'aller s'embarrasser de cette Allemande qui l'encombrerait, qui ne lui servirait
de rien dans sa carrière, qui ne serait qu'un

(1) En une formule souriante, M. André Lang
appelle Coppet « une espèce d'auberge de la résistance » (*Une vie d'orages; Germaine de Staël*, Paris,
1958, p. 77).

poids fatal, alors que Mme de Staël, même ainsi,
même déterminée, comme elle l'est, hélas! à
ne l'épouser point, peut lui rester tellement
précieuse par sa fortune et ses relations! L'article du *Journal de l'Empire* sera, sans qu'elle
s'en doute, pour Mme Dutertre, le déclic final
en sa faveur. Ces quelques lignes officieuses
auront décidé de son destin. C'est la petite
note du *Journal de l'Empire* qui fera, de Charlotte, madame Adolphe. Tant que Germaine
était « persécutée » seule, Benjamin s'en accom-
modait, tirant quant à lui son épingle du jeu.
Mais si maintenant — et l'article du 15 décembre ne le laisse prévoir que trop! — si
maintenant lui-même est dans le coup, menacé
de sanctions, tout est changé, rien ne va plus.
Adieu Germaine, et à l'instant, et qu'on le
sache! (« on » désignant, bien entendu, les
milieux gouvernementaux; non pas Germaine
en personne, qu'il importe beaucoup de mé-
nager). Constant travaille alors, depuis deux
mois, à une adaptation française du *Wallenstein*
de Schiller. Faute de sa *Religion* qu'il n'arrive
pas à désembourber (il se perd dans son plan,
dans ses fiches, il ne s'en tire pas), B. C. compte
sur cet ouvrage-là pour lui ouvrir enfin, à

Paris, les portes de la notoriété littéraire, et
celles, l'heure venue, de l'Institut. Ma pièce
est « *sans allusions* », précisera B. C. pour Hochet,
le 27 janvier 1808, et même, selon Barante
qui le lui a très expressément affirmé, « *plutôt
faite pour plaire.* »

En vain, le 30 décembre 1807, Mme de Staël
aposte son fils Auguste à Chambéry pour qu'il
y happe Napoléon au passage (1). Elle n'a pas
essayé encore de ce moyen-là. Auguste est un
bon petit; dix-sept ans; le regard candide.
Peut-être attendrira-t-il l'Intraitable? Napoléon
se laisse approcher et ne fait pas le méchant.
Il dit à Auguste qu'il a raison d'aimer sa mère,
et que lui-même n'eût pas demandé mieux que
de laisser Mme de Staël vivre à Paris. Mais elle
cause tant, déplace tant d'air, s'entoure si mal,
tient des propos si contrariants qu'il a bien
fallu l'écarter. Allons! Elle n'est pas si malheureuse tout de même, avec ses deux grands gar-
çons, une charmante petite fille, et sa gloire, et
son beau château, et toute l'Europe pour s'y

(1) Le 6 décembre, de Berne, Mme de Staël écrivait
à Frederikke Brun : « J'ai laissé Auguste à Genève d'où
il doit aller à Paris; il verra s'il y peut quelque bien au
moins pour notre liquidation. »

promener à sa guise. Le petit Auguste a fait
de son mieux, mais sa mission est un échec (1).

Ce qui n'est pas un échec, en revanche,
pour Germaine, c'est Vienne. Quel accueil !
« *On the top of the fashion !* » selon sa propre
expression, gloussante (à Sismondi, 1-4-1808).
Mme de Staël a emmené Schlegel à Vienne et
si les gens bien nés se pressent au « Cours de
littérature » qu'elle lui a suggéré d'ouvrir, ce
n'est point, on s'en doute, la passion de s'instruire qui déplace ainsi le monde élégant (2).

---

(1) Mme de Staël soulignera, auprès de Prosper de
Barante, l'accueil bienveillant qu'a réservé l'Empereur
à Auguste. Prosper en était déjà informé et il répondra,
aimable, à Germaine : « Je savais qu'Auguste avait
parlé à l'Empereur et en avait été reçu avec considération. »

(2) C'était Mme de Staël qui avait accompli toutes les
démarches nécessaires à l'organisation de ces « leçons »
et loué la salle où elles auraient lieu. Sur l'étourdissant
succès de son cours, Schlegel, rentré à Coppet, donnera,
le 8 août 1808, à F. de Gaudot les détails suivants :
« *J'ai eu plus de deux cent cinquante auditeurs, presque toute
la haute noblesse, des hommes de la cour, des ministres d'État,
des généraux, dix-huit princesses* [etc...]. » Quant aux sentiments de Schlegel à l'égard des Français, rien n'en
saurait donner une idée plus précise que ces vers de
lui, révélés par Otto Brand dans son ouvrage :
A. W. Schlegel der Romantiker und die Politik (Stuttgart,
1919, p. 90) et dont voici la traduction : « *Race sans cœur,
étrangère à la loyauté comme à la justice, tantôt imprudente
et tantôt servile* [etc...]. » Mme de Staël immortalisera le

Schlegel travaille au profit du nationalisme
allemand (1) et Mme de Staël apparaît comme
une alliée intéressante contre l'Ogre des bords
de la Seine. Elle est entrée en contact avec
Gentz, l'agent anglais, mais elle dîne chez
Andréossy, l'ambassadeur de France. Elle a
laissé Auguste à Paris « *à la poursuite des deux
millions* » (Morellet à Rœderer, 7 avril 1808)
et se figure bonnement que l'Empereur ignore
tout de ses manèges là-bas, derrière l'hori-
zon (2). Il les ignore si peu qu'il mande, le
28 juin 1808, à Fouché : Mme de Staël s'agite
en Autriche avec « *les tripoteurs de Londres* »;
lorsqu'elle regagnera Coppet, « *je désire qu'elle
soit surveillée.* »

« cours » viennois de son protégé dans *De l'Allemagne*
(II, XXXI).
   (1) Les fameux « discours » de Fichte « à la nation
allemande » sont du même hiver 1807-1808.
   (2) Dès son passage à Munich, en décembre 1807,
elle a tonné contre Napoléon. Nous en sommes avertis
par le Journal du général bavarois. Clairembault qui
note, le 17 décembre au soir (il a dîné et soupé, ce jour-
là, avec Mme de Staël) : « *Il lui est impossible de dissimuler la haine qu'elle porte à l'Empereur des Français* »
— ce qui n'empêche pas Germaine de se rendre, le surlendemain 19 « *à l'assemblée chez le ministre de France* »,
et même de dîner chez lui, le 20.

***

Germaine retrouve sa « prison » suisse au
début de juillet 1808. Elle est assez découragée
et n'aperçoit plus les moyens qu'elle aurait de
charmer le Monstre (1). Il est féroce. Le 24 novembre 1808, il met une rallonge de dix lieues
(cinquante, désormais) à la perche protectrice
dont une extrémité est à Paris, entre ses mains,
et dont l'autre, sanitairement, tient en respect
la « tripoteuse ». Germaine envoie Auguste à
Paris, fin janvier, faire — elle le mande à Voght,
de Genève, le 27 janvier 1809 — « *une dernière tentative pour nos deux millions* ». Aucun
résultat. Et quand Mme de Staël se rend à
Lyon (2), au début de juin, pour y applaudir

---

(1) Benjamin, pour sa part, suit des yeux, avec un
intérêt très vif, les opérations militaires en Espagne.
Si Napoléon trouvait là sa perte! Le 13 septembre 1808,
de Coppet, sur le mode ironique dont il s'est fait une
spécialité, mais avec un grand frémissement secret, il
écrit à sa tante Nassau (lettre inédite) : les troupes françaises, en Espagne, « *souffrent* [...] *de cette vilaine manière
d'attaquer que les insurgés ont adoptée; s'ils voulaient faire
la guerre en bataille rangée, ils seraient bientôt défaits, mais
ils s'obstinent à harceler l'armée derrière des buissons, des
ravins, des haies, et par petits coups, ce qui est fort désagréable.* »

(2) De Germaine à X..., « Lyon, ce 11 juin [1809] » :

Talma, les « cinquante lieues » lui sont rappelées et confirmées. Tout est bien sombre. Le 13 mai de cette année-là, Vienne a capitulé et, le 6 juillet, c'est Wagram.

Elle prépare son livre *De l'Allemagne*. Faite comme elle l'est, lucide sur pas mal de choses sauf sur elle-même et ce qui la touche, Germaine n'est pas éloignée de croire que cette grande étude servira peut-être sa cause auprès du souverain. A Juliette, confidente de ses afflictions et de ses désirs, elle avoue, le 14 janvier 1810, qu'elle « *espère quelquefois, confusément, de cet ouvrage* » pour adoucir les rigueurs du Maître. Il va se remarier, le Maître, avec l'archiduchesse Marie-Louise. Dès qu'elle apprend la nouvelle, Germaine y voit une circonstance dont elle pourrait tirer parti. L'ambassadeur d'Autriche à Paris est un ami; « *je le connais; je l'aime* », dit-elle à Juliette; « *ayez la bonté de le voir et de lui parler de moi* » (28-2-1810). Marie-Louise, si l'on y songe bien, aurait des raisons d'être bonne pour elle. Mme de Staël

« *Je suis venue à Lyon pour voir Talma. C'est un plaisir d'exilée, mais il est impossible que les rois de la terre en aient un plus grand. C'est la perfection de l'art dans la passion et de la passion dans l'art.* » (Bibliothèque de Genève; manuscrits Staël).

envoie son fils porter chez Schwartzenberg le dernier exemplaire qui lui reste de cette *Apologie* pour Marie-Antoinette qu'elle avait écrite jadis, en Angleterre, une « *défense de la reine au moment de son procès, assez belle, et surtout très courageuse* » (à Juliette; *id.*) Que Schwartzenberg la fasse tenir à Marie-Louise. « *Peut-être en pourra-t-il résulter quelque intérêt pour moi dans la nouvelle princesse* »; (1) « *je dis cela*, ajoute Germaine, d'une voix qui meurt *parce que tout est effrayant et déchirant* [devant moi], *excepté le retour* » à Paris. Paris! Il faut à Germaine son salon de Paris pour se sentir autre chose sur la terre qu'une âme, errante, souffrante, ravagée par toutes les insatisfactions de l'amour. Elle fait remettre à Talleyrand, par Auguste, un message qui reste sans réponse (2), et le jeune

---

(1) Le 11 avril 1810, Germaine confiait à Gaudot son vague espoir de voir « le mariage » rendre l'Empereur « plus accessible à la clémence pour les exilés ».

(2) Germaine écrivait à Talleyrand : « *J'ai dit à mon fils d'aller vous trouver et de vous demander franchement et simplement de vous intéresser à la liquidation des deux millions qui font plus que la moitié de notre fortune, et l'héritage de mes enfants.* » [...] « *Ce dépôt* [...] *a un caractère si sacré que les préventions de l'Empereur contre moi peuvent seules l'empêcher de statuer sur cette dette, et cependant il me semble qu'aux yeux de l'Europe* [...] *l'exil paraîtrait moins cruel si l'on se montrait juste envers ma fortune* [...] *Voyez si vous*

homme cherche en vain à être admis auprès de
l'Empereur pour se traîner à ses genoux. Sa
mère accable Méneval, le secrétaire particulier
du Maître, de lettres où elle le conjure de
prendre en pitié son martyre. Elle veut revenir.
Elle sera sage, loyale, dévouée. Qu'il la croie!
Sa Majesté n'aura pas de sujette plus fidèle
et meilleure.

Petite lumière : le bon Fouché, en mars
(8 mars 1810), obtient que son « rayon d'exil »
soit ramené à quarante lieues. Le 24 avril 1810,
traversant Blois, elle va présenter ses devoirs
au préfet, M. de Corbigny, et la dépêche que
ce fonctionnaire adresse, le soir, au ministre,
est explicite à souhait : Mme de Staël « *désire
surtout qu'il lui soit permis de retourner à Paris;
bien résolue, dit-elle, à ne plus donner lieu à des
rapports fâcheux sur son compte, elle espère que
Sa Majesté daignera la comprendre au nombre des
heureux qu'Elle doit faire à l'occasion de son ma-*

*pouvez rendre service à mes enfants [...]. Je n'ai aucun moyen
de vaincre les préventions de l'Empereur contre moi. S'il ne
croit pas que sept ans d'exil sont un siècle pour la pensée,
s'il ne croit pas que je suis une autre personne ou que, du moins,
la moitié de ma vie est éteinte et que le repos et la patrie me
sembleraient les Champs Élysées, quel moyen ai-je de l'éclairer
à mon égard? [...] Qui n'a pas l'appui de l'Empereur n'a pas
de patrie [...].* » (Londres, British Museum).

riage. Mme de Staël m'a prié de donner ces informations à Votre Excellence ». Aucune suite (1). Devra-t-elle donc passer les mers, quitter le continent, chercher en Amérique la fin spectaculaire de ses tribulations? Un beau thème. Ce n'est plus seulement de la France, c'est de l'Europe entière que Mme de Staël doit fuir l'asphyxie. Toute la largeur de l'océan n'est pas de trop pour mettre la distance qu'il faut entre elle et le Tyran. Germaine parle depuis des mois de ce projet pathétique. Elle a de grands biens aux États-Unis (2), et de l'argent,

(1) Le 10 mai, de Chaumont, Germaine écrit à Voght : « *Le départ de l'Empereur a suspendu mes démarches, et le plus que je pouvais espérer, c'était dix lieues.* »
(2) Dès 1794, et à quatre reprises, Necker avait fait passer en Amérique des fonds considérables. Talleyrand, qui s'abritait aux États-Unis, avait écrit à Germaine, le 12 mai 1794 : « *Il y a ici beaucoup d'argent à gagner. Si vous connaissez des gens qui aient envie de spéculer sur les terres, je ferai leurs affaires volontiers.* » Avec sagesse, Necker avait préféré à « l'évêque » un intermédiaire moins inquiétant et c'est l'émigré Le Ray, futur propriétaire du château de Chaumont, que le banquier avait chargé de ses « affaires » en Amérique. D'après l'ouvrage, sérieusement documenté, de Richmond L. HAWKINS (*Mme de Staël and the United States*, 1930), Necker et sa fille avaient acquis des terrains immenses aux États-Unis, en Pennsylvanie, dans le Connecticut et jusqu'en Louisiane. Ils avaient investi là pour un million et demi de francs (quelque 600 millions-1959). Le 18 octobre 1804, Germaine félicitait Le Ray : « *Je vois que vous organisez*

mis en sûreté. Mais quel ensevelissement ce
serait ! Voir d'abord si son nouveau livre — une
gloire de plus pour la France — ne lui vau-
dra pas le pardon qu'elle implore. « *Quand
mon ouvrage aura paru*, dit-elle à Meister le
25 mai 1810, *mes enfants* [les deux en même
temps, cette fois-ci] *iront demander à l'Empereur
mon rappel* » (1). Et peut-être qu'enfin, enfin…

vos propriétés avec une rare habileté […]. Je ne puis imaginer
une carrière plus belle que la vôtre* »; elle lui disait n'avoir
qu'à se louer de la « *confiance* » qu'elle lui avait faite
pour « *placer en Amérique une partie de* [sa] *fortune* ».
Mme de Staël avait également confié des fonds à Dupont
de Nemours, qu'elle avait aidé à fuir après Fructidor,
et qui lui écrivait, des États-Unis : « *La poudrerie de mon
fils Irénée* [est] *hypothéquée à votre nom.* »
   La Bibliothèque de Genève conserve deux documents
sur les opérations financières de Mme de Staël aux
U.S.A., — une lettre au juge W. Cooper, « *Coppet, 29 juillet* 1805 » dans laquelle Germaine recommande à Cooper
d'attendre « *la progression naturelle du prix des terres* »
pour effectuer de nouvelles ventes (Cooper venait de
vendre pour elle « « *quatre mille acres* ») et une lettre
du 12 novembre 1815 à la maison Le Ray et Bayard,
de New York, au sujet de 30 000 piastres qu'elle vient
de recevoir et qu'elle demande à ses correspondants de
placer au mieux.
   (1) Germaine cherchait toujours à utiliser son
fils Auguste pour attendrir l'Empereur. De Blois,
le 16 avril 1810, elle dit à Voght : « Rien de nouveau.
Je ne sais pas encore le résultat du voyage de mon fils
à Compiègne. » Le 7 mai 1810 elle confiait tristement à
Camille Jordan que le jeune homme n'avait, hélas,
« *pas pu voir l'Empereur avant son départ* ». Le 6 juin, elle
signale à Claude-Ignace de Barante qu'elle renouvelle

Mais Fouché est congédié, le 3 juin, et Savary, qui le remplace, n'a pas ses reptations adroites. Un dur. Mauvaise affaire pour Mme de Staël.

sa tentative : « *Je viens de faire quelque chose, d'envoyer mon fils* [...]. » En mai, on voit par sa lettre à Jordan qu'elle s'imaginait obtenir une réduction d'éloignement (« *Il circule autour de lui* [l'Empereur] *que l'on pourrait bien m'accorder dix lieues, mais je ne sais rien encore* »).

IV

« DE L'ALLEMAGNE »
OU
DICHTUNG UND WAHRHEIT

Voici venu le drame de l'*Allemagne* (1). Regardons bien, car la tradition créée par l'intéressée, et soigneusement entretenue, confine ici plus que jamais à la mystification.

Le scénario des *Dix Années d'Exil* est d'une simplicité antique. L'Esprit face à la Force; et, du côté de cette femme qui symbolise à la fois l'Intelligence et la Liberté, une noblesse, une dignité suprêmes. L' « impératrice de la Pensée » aux prises avec l'empereur de la Matière. Voyons les faits. Le jour même, 24 septembre 1810, où Savary signe l'arrêté

(1) Le prince Jacques de Broglie, arrière-petit-fils de Mme de Staël, dans son ouvrage de 1936 : *Mme de Staël et sa cour au château de Chaumont* (p. 273) estime pour sa part que l'interdiction de *l'Allemagne*, en 1812, « *se justifie pleinement.* » Et il cite à ce propos une remarque de Gœthe (à Mme Grotthus, 17 février 1814) : « *La police française, assez intelligente pour comprendre qu'un livre comme celui-là devait augmenter la confiance des Allemands en eux-mêmes, l'a fait prudemment mettre au pilon.* »

ordonnant à Mme de Staël d'avoir à quitter la
France, dans les quarante-huit heures, pour la
Suisse ou pour l'Amérique, à son choix, ce
jour même Mme de Staël confie à Mme de
Custine : « *J'écris à l'Empereur en lui envoyant
mon livre. Si j'obtenais seulement dix lieues, je res-
terais* » (1). Pas question, on l'imagine, de cette
lettre dans les *Dix Années*. « Sire, disait Mme de
Staël à l'Empereur, *je prends la liberté de présenter à Votre Majesté un ouvrage sur l'Allemagne.
Si Elle daigne le lire, il me semble qu'Elle y trouvera la preuve d'un esprit capable de quelque ré-
flexion, et que le temps a mûri. Sire, il y a dix ans
que je n'ai vu Votre Majesté et huit que je suis
exilée. Huit ans de malheur modifient les caractères
[...] Je supplie Votre Majesté de m'accorder la
faveur de lui parler [...] Ce qui vous a donné le
monde, Sire, c'est un souverain génie et, en fait
d'observation sur le cœur humain, Votre Majesté
comprend depuis les plus vastes ressorts jusqu'aux
plus délicats. Mes fils n'ont point de carrière ; ma
fille a treize ans ; dans peu d'années, il faudra l'éta-*

_____

(1) De Chaumont, le 17 août 1810, Germaine confiait à Voght : « *Mon seul espoir, c'est une dernière prière
à l'Empereur en lui envoyant mon ouvrage. (Ceci pour vous
seul).* »

blir [...] *Cette vie n'est pas tolérable* [...] *Tant de gens demandent à Votre Majesté des avantages réels de toute espèce ; pourquoi rougirais-je de lui demander l'amitié, la poésie, la musique, les tableaux* [ces « chefs-d'œuvre des arts que la France doit aux conquêtes de Votre Majesté »], *toute cette existence idéale* [qui n'est possible pour moi qu'à Paris et] *dont je puis jouir sans m'écarter de la soumission que je dois au monarque de la France? Je suis avec respect, Sire,* [etc...]. »

Cette lettre, Germaine la remet, le 25 septembre 1810, à Mme Récamier, et Juliette emporte à Paris ce message, « *toute enivrée* », dit Ballanche, « *de l'espérance qu'avait conçue Mme de Staël de sa démarche.* » Mais, ce même 25 septembre, la police saisit chez l'imprimeur les 5 000 exemplaires déjà tirés des deux premiers volumes de *l'Allemagne*.

Le 28 septembre, Germaine, qui a su, la veille, son redoublement d'infortune, prend la plume pour une seconde lettre à l'Empereur. (Encore moins question, est-il besoin de l'indiquer? de cette Épître II dans le récit de 1811) (1). « *Sire, on m'apprend que mon livre sur*

_____

(1) Toute une gerbe, décidément, qu'on nous avait cachée! Sixième épître de Mme de Staël à Napoléon

l'Allemagne est saisi. Si Votre Majesté l'a lu, je
me soumets. Si Elle ne l'a pas lu, je la supplie d'être
Elle-même mon juge. J'ai la conscience qu'il n'y a
pas là un mot qui puisse lui déplaire [...]. *Il est bien*

Bonaparte. Deux en 1803, une en 1806, une en 1807,
deux en 1810. Une belle « correspondance » à réunir.
Correspondance, il est vrai, sur la couverture de la pla-
quette, serait impropre. Correspondance implique
échange; pas d'échanges ici. Ce n'est point que man-
quent les réponses; c'est qu'elles n'ont jamais existé.
Six fois Mme de Staël aura parlé au Maître qu'elle
implore, et six fois le Maître se sera tu. Dialogue de la
loquace et du muet.

L'opuscule aurait malheureusement des lacunes, les
textes de 1806 et de 1807 n'étant pas encore retrouvés,
mais on y pourrait joindre le brouillon (il est à Coppet,
inédit) d'une septième lettre de Germaine, non envoyée,
datant de 1801 (pour se justifier, devant le Premier
Consul, de sa conduite à l'égard de M. de Staël) et
même, je pense, une huitième lettre encore...

Mention devrait être faite, également, des messages
adressés par la jeune femme à son « héros » pendant la
première campagne d'Italie.

Je soupçonne Benjamin Constant d'avoir songé à
toutes ces lettres plaintives, occultement adressées par
Mme de Staël à celui qu'elle avait écrasé de malédictions
grandioses devant son public européen, lorsqu'il écrira,
avec son aigre petit rire, le 24 mai 1814, à la tante
Nassau : il paraît que Napoléon « *a emporté* à [l'île d'Elbe]
vingt-cinq portefeuilles énormes contenant toutes les lettres
qu'il a reçues »; « *il prétend qu'il fera imprimer tout cela* »;
« *il doit y avoir des gens fièrement inquiets* ». Sa prudence
personnelle a été bien autrement méticuleuse; d'où la
suite, rengorgée : « *Je me sais bon gré de n'avoir pas de quoi*
l'être » [inquiet]. Aucune trace écrite de ses manœuvres,
en 1807, et les articles qu'il a donnés alors au gouvernement impérial n'étaient pas signés.

*clair que je croyais et ne voulais pas qu'il y restât
une phrase désapprouvée par l'autorité [...] J'ose
demander à Votre Majesté, de toute la puissance
de mon âme, de m'écouter une demi-heure.* » La
phrase qui vient ensuite mérite d'être soupesée :
« *Je crois pouvoir assurer à Votre Majesté qu'elle
apprendra, dans cet entretien, des choses qu'elle ne
saura jamais que par moi.* » Gardons-nous de
toute interprétation téméraire; ces mots-là,
tout de même, vous laissent dans un trouble.
Puis : « *Je me résignerai à mon expatriation,
quelque cruelle qu'elle soit pour ma famille et pour
moi, si Votre Majesté ne la prononce qu'après
m'avoir entendue. Je suis avec respect, Sire,* [etc...] ».

Cette seconde supplique, c'est son fils Auguste que Mme de Staël charge de la faire
remettre à l'Empereur, par l'entremise de Régnault. Le 1er octobre, Auguste rend compte
de sa mission. Régnault estime qu'il faut modi-
fier la rédaction du placet et « *éviter* » avant tout
« *ce qui pourrait ressembler à une récrimination* ».
Soit! Soit! Le 2 octobre, Mme de Staël recommence sa lettre (1) : « *Sire, sans importuner*

(1) « *Je n'en puis plus de larmes* », dit Germaine à Juliette : « *J'ai un tel nuage de douleur autour de moi que je
ne sais plus ce que j'écris.* »

*Votre Majesté de la justification de mon livre sur
l'Allemagne, je ne lui dirai qu'une chose, c'est que
j'ai soumis moi-même, volontairement, ce livre à la
censure, preuve certaine que je voulais qu'il ne con-
tînt pas une phrase qui pût déplaire à Votre Majesté. J'ai fait dans le premier et le second volume
tous les changements que M. Portalis m'a indiqués,
et je comptais également adhérer à ses observations
pour le troisième. Que pouvais-je faire de plus pour
obéir à la marche tracée par le décret de Votre
Majesté?* » Suit la requête essentielle : cet
entretien d'une demi-heure que Germaine demande à l'Empereur, « *de toute la puissance de
[son] âme* » (1). Le même jour, 2 octobre 1810,
Germaine écrit à la reine Hortense. Tel détail
apologétique dont elle n'a pas voulu alourdir
sa lettre à Napoléon, Germaine implore la reine
Hortense de le communiquer au Souverain :
« *Si l'on s'étonnait de ce que je n'ai pas osé nommer
l'Empereur dans mon ouvrage, je dirais que, dans la*

---

(1) Mathieu de Montmorency, qui a vu et approuvé
cette nouvelle rédaction, mande, le même 2 octobre, à
Juliette : « *Il faut la faire valoir* [la supplique de Mme de
Staël à l'Empereur] *le mieux possible par l'obligeance de
la ci-devant Reine* [de Hollande], *et tâcher d'obtenir avant
tout le rendez-vous* [avec Napoléon] *auquel notre amie mettrait le plus grand prix, et qui pourra, en effet, contribuer à
changer son sort.* »

*disgrâce où je suis, privée de ma fortune et de ma
patrie, un éloge ne pouvait être qu'une supplique,
et par conséquent un manque de respect* » (1).

(1) Voici le texte intégral de cette lettre adressée,
le 2 octobre 1810, par Mme de Staël à la reine Hortense :

Madame,

Vous avez été pour moi un ange de bonté. Je voudrais joindre à mes deux fils [*qui sont à Paris*] ma fille,
pour qu'ils vous remercient tous les trois de votre
intérêt pour une personne qui a souffert depuis huit
ans tous les tourments qu'une âme peut éprouver.

Je ne répéterai point à Votre Majesté ce que contient ma lettre à l'Empereur, mais je lui dirai que,
sans mon amour pour la France, j'aurais fait imprimer
mon livre en Allemagne et ne serais pas venue à
quarante lieues de Paris me soumettre, d'une part,
à la censure, et, de l'autre, m'exposer à l'ordre que je
viens de recevoir de partir pour un port en quarante-
huit heures.

Si l'on s'étonnait de ce que je n'ai pas osé nommer
l'Empereur dans mon ouvrage, je dirais que, dans la
disgrâce où je suis, privée de ma fortune et de ma
patrie, un éloge ne pouvait être qu'une supplique et,
par conséquent, un manque de respect.

Je demande une demi-heure d'audience à l'Empereur avant de m'embarquer. Je suis sûre que je lui
apprendrai, sur ma situation actuelle, sur mes résolu-
tions futures, mille choses qu'il ignore et je ne puis
croire que, s'il savait la vérité, il ne changeât pas
entièrement sur mon compte. J'ai l'orgueil de penser
que je puis intéresser l'Empereur pendant une demi-
heure. Quel inconvénient, d'ailleurs, peut-il résulter
de cette faveur? Je partirai de là, s'il le faut, pour
m'embarquer, triste mais résignée, puisque, du moins,
je ne croirai pas que mes ennemis seuls se soient fait
entendre de l'Empereur.

Madame, j'ai passé une partie de cet été à chanter

La veille, 1er octobre, le préfet de Blois,
Corbigny a reçu la visite de Schlegel, à lui
délégué par Mme de Staël, et il a rédigé aussitôt
pour Paris une dépêche relatant les paroles de
ce mandataire. Schlegel a dit : — que si Mme de
Staël n'a point parlé de l'Empereur dans son
livre, c'est qu'elle « *n'aurait pas osé se permettre* »
de nommer le Souverain; « *sollicitant* [en effet]
*son rappel à Paris et le remboursement par le Trésor
public d'une portion considérable de la fortune de son
père, elle aurait paru attacher l'espoir d'obtenir ces
grâces à des louanges intéressées et par conséquent
indignes de Sa Majesté* »; — que si telles pages
de *l'Allemagne* déplaisent au gouvernement,
Mme de Staël en est stupéfaite et désespérée,
car elle avait effacé de son livre tout ce que le
censeur lui avait prescrit d'en ôter; sa « *péro-
raison* », en particulier, qu'on lui reproche,
« *aurait été sacrifiée par elle sans effort, si le censeur
le lui avait demandé* »; — qu'enfin Mme de Staël

des romances que Votre Majesté a composées et
souvent, dans ces concerts de famille, notre refrain
était : « Fais ce que dois; advienne que pourra. »

Je suis convaincue, Madame, que vos accents
partent d'une âme avec laquelle j'ose me croire quelque analogie. Avant que je quitte pour bien longtemps ce sol si cher de la France, daignez me prêter
votre douce voix pour appui.

est prête à toutes les retouches souhaitables, compatibles avec son honneur.

Le 3 octobre 1810, au matin, Mme de Staël fait porter à Fontainebleau, par son second fils Albert, ses lettres écrites la veille pour l'Empereur et pour la reine Hortense.

Le 4 octobre, Corbigny, à la demande de Mme de Staël, répète le dernier alinéa de sa dépêche du 1er octobre : l'auteur de *l'Alle-magne* « *attend qu'on lui indique les changements qui seront jugés nécessaires, afin de s'y conformer.* »

Le 5 octobre enfin, Mme de Staël reçoit, à Fossé, la réponse du gouvernement. Les ordres restent inchangés. Son livre ne paraîtra pas; elle-même doit quitter le territoire français. Vainement Germaine remue ciel et terre. Le 17 octobre, Napoléon fait savoir à Rovigo qu'il en a par-dessus les oreilles de ce tumulte lar-moyant que Mme de Staël fait mener autour de sa personne et de son livre; il ne veut plus entendre parler « *ni de cet ouvrage, ni de cette misé-rable femme* ».

**

Est-elle convaincue que c'est bien fini, qu'elle n'obtiendra rien, qu'elle est une réprouvée?

Entre-t-elle à présent dans son rôle de Venge-
resse? C'est la légende que répandront ses
Dix Années d'Exil. La vérité est moins décora-
tive. Mme de Staël n'est point partie pour
l'Amérique, et B. C., qui la connaissait trop,
savait bien qu'elle n'y partirait jamais. Elle
reste à Coppet, toute l'année 1811, tenaillée
encore d'espérances et rôdant autour de Capelle, le nouveau préfet de Sa Majesté à Genève.
(Barante a été destitué (1) le 30 novembre;
Capelle a pris son poste le 27 février 1811.)
Dépêche de Capelle à Savary, 8 mars 1811 :
« *Installé dans mes fonctions depuis dix jours* »,
j'ai déjà « *rencontré plusieurs fois Mme de Staël* »
qui « *s'est attachée à venir à moi avec obstination* ».
Du même, au même, 30 septembre 1811 :
« *Mme de Staël est venue hier chez moi* »; elle
« *m'a demandé à plusieurs reprises : — Mon sort*

---

(1) Plus exactement invité à prendre sa retraite et à
se retirer dans ses terres d'Auvergne. Les rapports de
Mme de Staël et du préfet Barante ne sont pas exempts
de mystère. On sait que Barante lutta pour détourner
son fils, Prosper, de Germaine. Mais n'avait-il, pour cela,
que des raisons paternelles? Quel jeu Germaine avait-
elle joué au juste, avec lui? Telle lettre de Mme de
Staël à ce Claude-Ignace fait un peu rêver. Le 8 août 1810,
elle lui écrivait en effet : « *Croyez-vous que, si je vous avais
aimé comme j'ai aimé Prosper, vous me laisseriez partir?* »

est-il désespéré? N'ai-je aucun moyen de le changer?
L'Empereur sait bien que je suis sans haine, sans
ressentiment [Mme de Staël écrivait alors la
Première Partie de ses *Dix Années d'Exil*],
que la moindre faveur, le moindre adoucissement me
ramèneraient à lui et me ferait lui consacrer toutes
mes facultés »; 12 novembre 1811 : Mme de
Staël « *paraît de plus en plus disposée à expier le*
passé », et Capelle croit pouvoir s'enhardir à
une suggestion : si le gouvernement estime
que Mme de Staël « *vaille la peine d'être conquise,*
l'occasion est propice. »

Dans les *Dix Années d'Exil*, les rôles sont
renversés. C'est Capelle qui obsède Mme de
Staël et qui se rend chez elle « *plusieurs fois* »
pour la « *prier* » d'écrire quoi que ce soit, « *ne*
fût-ce qu'une feuille de quatre pages », à la gloire
de l'Empereur. Germaine se vante, auprès de
ses amis, d'avoir repoussé ces basses invites
avec un mépris ironique. Capelle aurait voulu
obtenir d'elle des vœux pour la félicité du roi
de Rome; Germaine se serait bornée, en
souriant, à conseiller une bonne nourrice.
Qui ment? Capelle ou Germaine? J'aimerais
laisser à l'un comme à l'autre le bénéfice du
doute; malheureusement pour Mme de Staël

voici ce qu'elle mandait, très confidentiellement,
à Voght, le 26 avril 1811 : « *Je suis en négociation
à Paris* [...] *Le préfet que nous avons* [Capelle]
*met beaucoup plus d'intérêt et de suite à ce qui me
regarde que celui* [Barante] *qui se professait mon
ami* » (1). Et j'ai des raisons de penser — les
meilleures raisons — que *la* lettre de louanges
et de vœux à Napoléon, après la naissance du
roi de Rome, Mme de Staël l'écrivit, effective-
ment (2). (L'envoya-t-elle ? je ne le sais pas
encore.) Schlegel lui dira, le 23 août 1811 :
Capelle « *ne fait que mentir ; lorsqu'il veut vous
effrayer, prenez courage ; c'est lorsqu'il vous flatte
qu'il faut être sur vos gardes. Vous en avez déjà
fait l'expérience.* » Quelle expérience ?

(1) Cf. *Altonaische Zeitschrift*, VII Band, 1938, p. 44.
(2) Ce document extraordinaire, si longtemps et si
soigneusement enseveli, verra le jour enfin, semble-t-il,
sous peu.
Schlegel conjurait Mme de Staël de quitter la Suisse ;
« *si j'étais à votre place* », lui disait-il assez rudement,
ce 23 août 1811, « *j'aurais cru depuis longtemps devoir à
Dieu, au genre humain et à moi-même de sortir de là à tout
prix et de ne pas sanctionner une oppression injuste par une
soumission volontaire.* » Mais Schlegel ignorait les liens
très intimes qui attachaient Germaine à Genève et ses
« fiançailles » secrètes, du 1er mai 1811, avec John Rocca ;
à la fin d'août 1811, Germaine sait déjà qu'elle est
enceinte. Elle ne peut s'exposer avant son accouche-
ment aux hasards d'un immense voyage.

Nous n'avons jusqu'ici qu'un seul texte, pour 1811, où Mme de Staël s'adresse à l'autorité. Il est du 12 novembre. C'est une lettre à Savary, que Capelle transmet au ministre, avec le commentaire que nous avons reproduit. Mme de Staël demande un passeport pour l'Italie; « *je supplie Votre Excellence*, écrit-elle, *de mettre ma demande sous les yeux même de l'Empereur* [...] *Je ne puis me persuader qu'il veuille réduire au désespoir une femme qui ne peut plus inspirer à personne que de la pitié* » (1).

(1) « *J'assiste à ma mort avec toute ma vie* », écrivait, parallèlement Germaine, sur le mode sublime, à Prosper de Barante. Et, de ce même automne 1811 (3 octobre 1811), à Camille Jordan, en toute humilité : «*Je pense qu'en fait de dignité morale, les circonstances me placent aussi haut qu'il est possible.* »

V

1812-1814
OU
LA CHUTE DU « MONSTRE »

Le 7 avril 1812, Mme de Staël accouche, clandestinement, de l'enfant qu'elle doit au petit Rocca (Rocca, vingt-quatre ans ; elle, quarante-six). Le 23 mai, elle se met en route pour l'Angleterre, via Saint-Pétersbourg et Stockholm. C'est à partir de cette année-là, où commence le déclin de l'Empereur, que Germaine, définitivement, endosse son costume de Némésis.

Le 24 septembre, elle arrive à Stockholm où elle retrouve Bernadotte, ce « *véritable héros du siècle* » (lettre à la Grande Duchesse de Weimar, 12 janvier 1813). La tragédie de la Bérésina a eu lieu le 28 novembre et la situation rosit (« *grandes nouvelles* », note Benjamin dans son *Journal ;* les « nouvelles » même qu'il attend depuis 1807). Germaine s'ingénie à pousser la Suède dans la coalition (1) ; son fils

(1) On admirera d'autant plus la phrase que Germaine adresse, dans l'été 1813, à la princesse de Lieven, femme de l'ambassadeur russe à Londres : « *Je ne dis-*

aîné, Auguste, devient aide de camp de Bernadotte, et son cadet, Albert (vingt et un ans),
entré comme officier suédois dans les hussards
de la garde, va pourfendre les Français à Hambourg avec les cosaques de Tettenborn (1).

cute point la politique. Je n'y ai jamais rien compris que dans
ses rapports avec la conscience et l'enthousiasme. »

A la même correspondante, le 5 janvier 1813, Mme de
Staël avait écrit, de Stockholm : le prince royal de Suède
mérite « plus que jamais votre intérêt ; vous savez les détails
de sa conduite envers le chargé d'affaires de France [...] Tout
se prépare pour l'expédition du printemps, et mon fils en
sera. Dans quelle agitation je serai pour le succès de l'entreprise ! C'est elle qui doit décider de la question universelle.
La vôtre n'est plus douteuse ; vous n'avez plus un Français
sur le territoire de la Russie[...] Je suis bien impatiente de
savoir votre impression sur l'Angleterre [...] Le Prince m'a
chargé de vous présenter ses hommages. Si vous étiez assez
bonne pour m'écrire ce qu'on dit de lui en Angleterre, je le
lui montrerais [...] P.-S. — Je prie Monsieur le comte de
Lieven de me conserver sa bienveillance. » (Bibliothèque de
Genève ; mss Staël).

Cette « bienveillance », précisément, s'était beaucoup
amortie pendant l'été de 1813, d'où les lignes, pru-
dentes, citées plus haut, et ces larmes contenues : « J'ai
constamment souffert par vous depuis mon arrivée à Londres. »

Quant à la phrase amusante de Mme de Staël : « Je
ne discute point la politique ; je n'y ai jamais rien compris [...] »,
nous pourrons en rapprocher celle-ci, plus sérieuse, de
Chamisso à Varhagen en août 1810 (Chamisso est alors
à Chaumont, chez Germaine) : Mme de Staël « vit avant
tout pour la politique ».

(1) Le malheureux garçon, furieusement viveur et
joueur, se fera couper la gorge, en duel, au mois de
juillet 1813, dans la petite ville d'eaux de Doberan,
au cours d'une permission.

Elle écrit à Moreau, qui a émigré en Amérique, pour le convaincre de s'enrôler au service des alliés (1), et Schlegel, qu'elle a mis en rapport avec les Gentz, les Munster et les Stein, se dépense en brochures militantes contre « *la moderne Babylone* » — c'est la France qu'il veut dire — et le « *monstre* » corse (2). « *Der Wind ist günstig und die Segel schwellen* », s'écrie, lyrique, ce pédagogue dans une lettre à sa bienfaitrice, le 11 mai 1813 (« *Le vent est favorable et les voiles se gonflent* »). Le 31 août, défaite des Français à Kulm; le 6 septembre, à Dennewitz; le 18 octobre, à Leipzig (3).

(1) Moreau aura bien tort de l'écouter. Il se fera tuer, dans les rangs des ennemis de son pays, le 2 septembre 1813, en Bohême.

(2) Cf. la lettre de Schlegel à Mme de Staël du 4 août 1813. Schlegel, dans cette épître, raconte avec horreur que les Français ont osé, à Hambourg, « *faire travailler aux fortifications les femmes de la société* »; et il ajoute — Mme de Staël étant alors à Londres (elle s'est embarquée, fin mai, à Göteborg) — : « *Racontez donc cela à lord Holland, qui a défendu le principe de l'intégrité* [territoriale française]. *Et cette canaille s'arroge encore le nom d'une nation autrefois honorable!* » Il faut « *écraser cette engeance* »; « *qu'il me tarde que le jour de la vengeance arrive enfin!* »

(3) Mme de Staël publie à Londres son livre *De l'Allemagne*, avec une préface où l'Angleterre est saluée comme « *le chevalier armé pour la défense de l'ordre social* ». Elle est, alors, à ce point ennemie de Bonaparte que les

Benjamin Constant assiste, dévoré d'envie, à l'épanouissement européen de la gloire que s'acquiert Germaine, Germaine - la - guerrière, Germaine-l'héroïque (1). C'est bien ce qu'il

conservateurs lui font fête, et que Byron, exaspéré de la voir si différente de ce qu'il l'imaginait sur sa réputation de « libérale », écrit à Moore, le 22 juin 1813 : « *Elle est pour le Seigneur d'Israël et pour lord Liverpool* [...], *ne parle de rien que de dévotion et de ministère, et s'attend, je suppose, à ce que Dieu et le gouvernement lui procurent une pension.* » Byron est un malveillant. C'est pour Schlegel, non pour elle-même, que Mme de Staël songe à des subsides anglais. Elle lui écrit, de Londres, le 2 juillet 1813 : « Votre brochure [*le Système continental*] a eu le plus grand succès et je me flatte de vous avoir ici une pension. C'est le premier pas; vous aurez une place, peut-être, après. » Et plus loin : « Quand vous le voudrez, je ferai des démarches pour votre pension; j'étais d'avis d'attendre pour cela que mon livre [*De l'Allemagne*, édition anglaise] ait paru. Je l'ai vendu 1 500 louis, [...]. Mon livre fera parler de vous. »

(1) Au début de 1812, estimant l'Empire solide pour des années (le 2 mai 1814, B. C. avouera à Rosalie, à propos du « Corse » : « *Il paraissait si bien établi!* »), et ses chances de faire carrière en France réduites, hélas, à néant, Constant ne cachait point à ses intimes ses sentiments sur la nation gauloise. Le 13 mai 1812, par exemple, dans une lettre (inédite) à sa tante Nassau, il narrait avec ironie les comportements d'une famille parisienne récemment arrivée à Göttingen, et terminait comme suit son paragraphe : « *Il faut des têtes françaises*

craignait ! Il a misé sur le mauvais cheval, avec sa Charlotte (1). « *Mme de Staël est bien perdue pour moi* »; « *sottise que j'ai faite, énorme sottise* »; « *j'ai fait une sottise en rompant, quand il aurait pu me servir, un lien que j'ai conservé, quand il me nuisait.* » (*Journal intime*, 11-1-1813; 31-7-1813; 6-9-1813) (2). Benjamin a tort de se lamenter.

---

pour que tant de bêtise et tant de vanité puissent s'y loger. » Citons également cette formule de B.C., rapportée, avec quelque scandale, par Mme de Staël dans sa lettre du 17 juillet 1810 à Mme de Gérando : « *Pour un Français, le réel, c'est l'argent et l'idéal, c'est la vanité.* »

A l'égard des personnages officiels, toutefois, ses façons demeuraient soigneusement séductrices, et B. C. jugeait opportun de continuer à jouer le très fidèle compatriote. C'est ainsi que, le 20 mars 1812, remerciant le comte Reinhard, ambassadeur de France, d'avoir bien voulu lui faire parvenir un passeport, il lui disait en finissant : « *Je serais très heureux de renouveler avec vous mes souvenirs de France, et de parcourir tant de sujets sur lesquels on ne peut s'entendre avec des étrangers.* » (Lettre inédite.)

(1) « *Sa bête de femme* », comme dit Schlegel, courtisan, à Mme de Staël, le 1er novembre 1813. Mais Constant — il espère bien que Germaine ne lira jamais cette lettre-ci — n'en parle pas moins de son épouse, quand il écrit à Bernadotte, le 3 février 1814, avec des bénédictions : « *Je dois à la meilleure des femmes et à sa famille* [etc...]. »

(2) Mme de Staël, d'ailleurs, ne manque pas de lui faire sentir, pesamment, tout ce qu'il a perdu en cessant de vivre avec elle, l'illustre, pour aller épouser cette Charlotte qui l'ensevelit au fond de sa triste Allemagne; 20 mai 1813 : « *Je puis bien vous le dire, vous avez laissé échapper une belle carrière, sans parler du reste* »; 8 jan-

Mme de Staël ne l'oublie pas. Elle parle de lui
à Bernadotte. Elle cherche à le mettre en bonne
position si le Prince de Suède réussit dans
l'entreprise dont elle fait briller à ses yeux la
splendeur, et qui l'arrangerait si bien elle-même.
Germaine redoute beaucoup le retour des Bourbons; nous en avons eu la preuve dans sa
lettre à Necker du 17 avril 1804. Elle pense
que les Bourbons ont des raisons de ne l'aimer
guère; elle craint d'être « *persécutée* » par eux,
s'ils ressaisissent le trône de France, tout
comme elle l'a été par Bonaparte. La solution,
c'est Bernadotte. Le 30 novembre 1813, Germaine gourmande Benjamin et l'éperonne :
« *Se peut-il que vous n'ayez pas été rejoindre le
Prince Royal de Suède? Il vous estime tant, il a
une si belle perspective, et si conforme à nos sentiments!* » Mme de Staël retarde. Déjà B. C. a
entrepris des avances du côté de ce « Béarnais »
à propos duquel il avait successivement noté,

vier 1814 : « *Vous étiez né pour le plus haut rang, si vous
aviez connu la fidélité envers vous-même et envers les autres.* »
B. C. se ronge les poings. Du moins fait-il tout ce qu'il
peut pour se conserver la faveur protectrice de Germaine devenue si puissante. Le 30 novembre 1813,
Mme de Staël mande à Schlegel qu'elle a reçu de Benjamin une lettre incroyablement ardente, « *plus pas-
sionnée, dit-elle, que dans les temps où il m'aimait le plus.* »

dans son *Journal intime*, le 29 septembre 1812 :
« *Le Béarnais. Il n'est rien que je ne fasse* », et, le
16 octobre : « *Le Béarnais; il faut y penser sérieusement. Tout est gain, au fond.* » Au printemps
de 1813, Constant avait chargé Sieveking, qui
se rendait auprès du prince, de lui faire savoir
avec insistance ceci : « *Qu'en tout temps, en tout
lieu, je lui suis dévoué* », et il avait vu avec un
mouvement de rage Schlegel recevoir du Suédois une décoration, un titre, et des appointements. (*Journal intime*, 7 mai 1813 : « *Schlegel.
Toutes les vies s'arrangent mieux que la mienne.* »)
Ce qui exaspère B. C., c'est qu'il ne sait que
faire de sa femme, molle, encombrante, détes-
tant l'agitation, et qui est un boulet à son pied.
Journal intime, 2 novembre 1813 : « *Le Béarnais.
Désespoir fou. Charlotte me gêne.* » Mais voici,
tout de même, la rencontre si désirée. Le
6 novembre 1813, B. C., à Hanovre, peut enfin
exprimer au Prince, de vive voix, la passion
qui le brûle de servir sa cause. Bernadotte est
aimable; il écoute avec intérêt cet ancien bru-
mairien qui s'est, comme lui-même, retourné
contre l'homme auquel il avait dû son éléva-
tion; mais si Bernadotte est Français, Constant
est Suisse, et la collaboration que lui peut

apporter cet helvète pour séduire les Parisiens
reste d'une efficacité douteuse. Le Prince invite
Benjamin à sa table; quant à des faveurs immé-
diates, point.

Journal intime, 9 novembre 1813 : « *Bodenhau-
sen placé. Toujours les autres; jamais moi.* » (1)
B. C. se remue. Il compose un *Mémoire sur les
communications à établir avec l'intérieur de la France*,
autrement dit sur la guerre psychologique qu'il
convient de mener, en France même, contre

---

(1) Une lecture fort divertissante est celle, comparée,
du *Journal intime* de Constant et de sa correspondance.
Pour le public, B. C. s'efforcera toujours de jouer au
sage, au désabusé, à l'être indifférent, que les ambitions
des hommes amusent, et fatiguent vite, tant il est, lui-
même, dans une autre sphère. Parmi ses plus jolies
réussites d'attitude en ce genre, citons par exemple
sa lettre du 2 juillet 1809 à Prosper de Barante : « *Le
présent me sera toujours étranger* », ou, mieux encore, cette
autre lettre, au même, du 23 septembre 1812 : « *L'agitation que je vois* [partout] *pour des places et des avantages
positifs m'est si étrangère que je commence* [même] *à ne plus
la comprendre.* » Mais Prosper est en « place », et Benjamin ne l'est pas. Il convient donc à B. C. d'affecter
le dédain le plus absolu pour ces raisins trop verts.
Il le hait, au vrai, ce Prosper *arrivé*, et ne se laisse de-
viner que trop sur ce point dans ses lettres à Hochet;
nous avons vu déjà ceci : « Prosper marche à pas
de géant dans sa carrière [etc...] » (p. 238); mieux encore : « J'ai eu quelque envie de lui écrire pour lui
notifier que, n'étant plus proscrit, je comptais de nouveau sur son amitié; mais je le crois tellement délicat
qu'il exige de ses amis non seulement d'être en sûreté,
mais en puissance » (p. 249).

Napoléon et montre comment la Suisse est l'endroit le plus indiqué pour établir, à cet effet, un centre d'action clandestine; et Constant rédige, à titre d'exemple, le texte d'un de ces petits papiers qu'il faudrait, selon lui, introduire en France, secrètement, par milliers d'exemplaires, pour y miner l'Empereur dans les esprits. On y soulignerait, à l'intention des gens de bien, que Bonaparte n'est qu'un gueux parvenu. (« Ce sont nos maisons qu'on brûle; votre maison d'Ajaccio, *si tant est qu'avant d'habiter nos palais vous eussiez une maison*, [etc...] »), et l'on mettrait finement en doute qu'il soit le père du roi de Rome (« ... le petit roi de Rome, *s'il est votre fils*, [etc...] »). Bernadotte a quitté Hanovre et B. C. le relance. Il lui rappelle, le 4 décembre : « *Je suis, pour la vie, à tous les instants, à la disposition de Votre Altesse Royale* », et il a déjà entrepris ce pamphlet *De l'Esprit de Conquête et de l'Usurpation* qu'il estime opportun pour faire la preuve, devant le Prince, de ses talents, et qu'il croit pouvoir risquer en public maintenant que Napoléon, de toute évidence, chancelle (1). Son nom n'a plus retenti

(1) On goûtera la formule choisie par Benjar⸳⸳⸳ ⸳⸳our annoncer, le 29 janvier 1814, à sa cousine R⸳⸳⸳

dans le public depuis 1809 et ce *Wallenstein*
dont le bruit, à vrai dire, est resté tout à fait
modeste. La chute de l'Empire, voilà l'occasion
de reparaître, et à grand fracas. Mais les événements vont si vite que B. C. craint d'être
dépassé; *Journal intime*, 21 janvier 1814 : « *Le
temps presse si je veux arriver à l'hallali* »; 25 janvier : « *Tout arrangé pour l'apparition de mon
livre à point nommé; j'y mets mon nom; vogue la
galère!* » Il y a un petit risque, cependant. Si les
coalisés s'arrangeaient avec « le Corse »? S'ils
jugeaient préférable, au moins pour le moment,
de le laisser régner en France? Jolie situation où
ces gens placeraient l'auteur du coup de canif
porté dans le dos d'un homme qu'il avait cru
perdu! (« *Seront-ils assez bêtes pour faire la paix?
Discours de Napoléon. Quel lâche coquin!* ») (1).

publication de son pamphlet : « *Un petit ouvrage* [...]
qui est un acte de devoir et de conscience. » Rosalie n'a pu
s'empêcher d'observer que ce pamphlet, tout de même,
arrivait bien tard et que l'attaque de Benjamin eût eu
plus d'allure contre un adversaire encore redoutable.
Dans une lettre, pointue, le 25 mai, Constant répondra
à sa cousine que la France « *n'était pas encore délivrée* »
lorsqu'il a fait imprimer son livre, en Allemagne; et
il prononcera ces paroles hautes : « Je ne sais pas attaquer les morts. » Les « morts »? A quoi bon! Pas les
« morts ». Les mourants, seulement.
    (1) Cf. B. C. à Rosalie, le 29 janvier 1814 : que « *Dieu*

Mais non, sottes alarmes; les alliés iront jusqu'au bout, et Napoléon va tomber, c'est sûr (1).

Le 27 janvier, Constant adresse au Prince Royal les premières bonnes feuilles de son livre, en y joignant une longue lettre : « *Le moment est venu, Monseigneur, où Vos grandes destinées doivent s'accomplir* [etc...] »; suit un paragraphe d'une parfaite nudité (avec ce Béarnais un peu lent, peut-être, mieux vaut dire que suggérer) : « *Votre Altesse Royale a conféré à Villers une faveur dont il est bien glorieux. Je m'en suis réjoui pour lui, comme de tout ce qui lui porte*

nous préserve d'une mauvaise et trop prompte paix » qui laisserait debout « *le rusé demi-sauvage échappé de Corse!* » Déjà, au début de l'été 1813, on avait beaucoup redouté, du côté de Mme de Staël, un arrangement pacifique, et Schlegel qui est dans les mêmes dispositions que B. C., et pour les mêmes raisons trop évidentes, écrivait, anxieux, le 21 juin 1813, à Germaine : « *Je ne puis croire à la paix; elle couperait court à toutes nos espérances* »; du 28 juin, encore : « *Si la paix venait à se conclure, et que, par conséquent, je n'eusse plus d'emploi* [etc...]. »

(1) Constant s'inquiétait, en octobre : « *Si on veut* » (si seulement on le veut pour de bon) écrivait-il alors à sa tante Nassau (B. C. n'a pas daté sa lette, mais Mme de Nassau a noté, sur la missive : « *Reçue le 1er novembre 1813* ») « *le procès de Jacqueline est perdu* » (Jacqueline, dans leur vocabulaire, c'est Napoléon). Mais il n'y a pas de temps à perdre. Si l'on tergiverse, « *elle en profitera pour de nouvelles chicanes* » (lettre inédite).

avantage, mais non sans, moi-même, lui porter envie
d'une telle marque de bienveillance de la part de celui
que je regarde comme le sauveur de la liberté [etc...] »;
pour finir : « *Je suis, avec respect, et un ardent*
désir de Lui prouver mon dévouement sans borne,
Monseigneur, de Votre Altesse Royale [etc...] »;
signé : « Benjamin CONSTANT DE REBECQUE. »
Bernadotte s'exécute. Le 3 février 1814, il
annonce au « *baron Benjamin Constant* » qu'il
lui décerne l'Étoile Polaire. Le même jour,
avant d'avoir en mains ce message, B. C. avait
écrit au Prince, de nouveau, pour lui bien faire
comprendre qu'une simple décoration serait
insuffisante. Ce qu'il veut, c'est un titre, comme
Schlegel, un titre et des appointements; « *je*
pense », Monseigneur, que « *pour ne pas choquer*
les Suédois en suivant Votre Altesse Royale, je dois
avoir un titre qui me fasse de ce bonheur un devoir ».
Bernadotte s'imaginerait-il que Constant veut
se borner à soutenir sa cause de loin et par la
plume seulement? Benjamin entend le suivre
pas à pas, s'accrocher à ses basques, entrer
avec lui à Paris; « *Votre Altesse Royale, en m'at-*
tachant à Elle » s'assurerait là, qu'elle n'en doute
point, un auxiliaire travailleur; « *je pourrais la*
servir encore mieux en France [...]; *je serai trop*

heureux si je puis Lui consacrer ce que j'ai de talents et de jours. » Du 13 février 1814 : « *Oui, Monseigneur, ma conviction est plus intime que jamais, vous serez le sauveur de la France* [...] *Buonaparte a été le mauvais génie de l'espèce humaine, vous en serez le bon génie* [...] *Puissé-je, Monseigneur, être appelé à concourir, de mes faibles moyens, à de si nobles succès* [...] *Plus je pense aux événements qui se pressent, plus il m'est douloureux Monseigneur, de n'être pas auprès de Votre Altesse Royale* [...] *Je mets aux pieds de Votre Altesse mes vœux pour Sa prospérité qui est celle du monde, mon dévouement, mon espoir qu'Elle m'appellera auprès d'Elle, et l'hommage du plus profond respect.* »

Bernadotte s'est rendu à Liège (1), et B. C. attend, fébrile, une convocation qui n'arrive toujours pas. N'y tenant plus, il prend les devants. Il quitte Göttingen le 28 février et parvient à Liège le 6 mars au soir (2). Incident

(1) Le 5 mars 1814, Schelegel mande à Mme de Staël que B. C. aurait bien voulu suivre le Prince Royal, mais que ce dernier le lui a déconseillé : « *Le Prince*, écrit Schlegel, *ne voulut pas qu'il* [Constant] *fît une démarche aussi ostensible.* »

(2) Le 30 mars, de Liège, B. C. déclarera à Bottiger qu'il a tenu à se « rapprocher de la France, où je crois, dit-il, que je pourrais être utile »; affaire de conscience, de « devoir ». Les choses, d'ailleurs, vont bien : « La

pénible. Il s'est présenté chez Bernadotte en
descendant de voiture, et le Prince lui a fait
dire qu'il ne pourrait le recevoir que le lendemain. Benjamin, ulcéré, lui écrit le 7 au matin :
« ... *hier au soir, quand Votre Altesse Royale me
fit dire qu'Elle ne pourrait me voir qu'aujourd'hui,
j'ai dû m'éloigner comme exclu de sa table, parce
que personne ne me proposait de rester* [...] *Votre
Altesse Royale sait déjà que je ne désire ni place ni
titre* [...]... *mais pour me mettre à même de La
servir, il est nécessaire qu'elle constate que Sa volonté
me donne les mêmes droits qu'à tous ceux qui l'ac-
compagnent, quant au logement, aux moyens de
voyage, et à l'honneur d'être admis à Sa table* [...]
*Je suis Votre Altesse Royale en qualité de volontaire
civil, comme d'autres en qualité de volontaire smili-
taires* [...] *J'ose donc réclamer la même considération
de leur part que celle que j'ai pour eux.* »

C'est un guêpier, cette aventure Bernadotte !
Metternich et Castlereagh ne veulent pas entendre parler du « Béarnais » pour le trône de
France. Tout au plus l'admettrait-on, peut-être
pour un bref intérim. « *Il faut sauter sur une*

marche de la plus grande partie des forces alliées sur
Paris présage un terme assez prompt à la puissance de
l'Usurpateur. »

autre branche », note Benjamin sur ses tablettes,
le 11 mars; et il travaille à se mettre en vedette
auprès des coalisés par des articles, des avis,
des mémoires (12, 22, 29 mars) que Schlegel
fait tenir aux Russes et Mme de Staël aux Anglais (1). Les « *nouvelles* » sont de plus en plus
« *admirables* »; le 1er avril, Constant apprend
que les troupes françaises ont perdu leur dernière bataille; « *Dieu! Le Corse est-il à bas?* »;
4 avril : « *Paris est donc pris!* » Quel bonheur!
7 avril : « *Tâchons de nous faire une place com-
mode* » (2). Bernadotte s'est laissé jouer. Il

(1) Le 17 décembre 1813, Schlegel transmettait à
Mme de Staël la « *note lumineuse* » que Constant avait
rédigée pour « *susciter à Bonaparte une opposition dans
l'intérieur* »; « *montrez-la à lord Castlereagh aussitôt que
vous en aurez l'occasion; l'Angleterre devrait aussi avoir un
agent en Suisse.* » M. Constant, qui « *envisage les affaires
générales entièrement comme moi* », disait Schlegel, « *s'est
offert pour cette mission.* » Agent appointé de la Coalition
en Suisse, en attendant mieux, c'était là une perspective
qui séduisait Benjamin, et il s'en était ouvert à Schlegel,
lequel, positif, expliquait à Mme de Staël : « *On doit
employer toutes les voies, ne regarder à aucune dépense.* »
    Le 18 janvier 1814, nouvelle note communiquée à
Germaine par Schlegel : « *Elle est de Benjamin Constant,
mais il faut strictement garder l'incognito pour lui.* »
    (2) Le 4 avril, avec la rage de l'arriviste malchanceux
à l'égard d'un coquin plus habile, B. C. notait dans son
Journal : « *Talleyrand s'en tire! Justice divine!* » (Talleyrand, comme on sait, président du Sénat impérial, avait
trahi son maître pour passer à Louis XVIII avant

n'aura rien, et Benjamin qui avait débarqué à
Paris, le 15 avril, parmi les bagages du prince,
proteste, souplement, dès le 17, contre la manière dont le *Journal des débats*, a signalé, le 16,
son arrivée : « *M. Benjamin Constant, secrétaire
intime de S. A. le prince royal de Suède, accom-
pagne ce prince et est arrivé à Paris ce soir.* » Erreur,
erreur, dit Constant : « *Je n'ai pas l'honneur d'oc-
cuper une place auprès de sa personne* [...]; *je n'ai le
bonheur de lui être attaché que par les sentiments d'affection et de reconnaissance qu'il inspire à tous ceux
qui l'approchent* » (*Débats*, 18 avril 1814). Adieu,
le Béarnais ! Un tocard, une monture inutili-
sable (1). « *Dévouement sans borne...* », « *pour la*

même l'abdication de l'Empereur). Du *Journal intime*,
6 avril : « *Réfléchi sur les affaires* »; du 8 avril : « *Écrit
à Talleyrand.* » Ce que B. C. écrivait, ce jour-là, à
Talleyrand, le voici : « [...] *Je ne puis résister au besoin
de vous remercier d'avoir à la fois brisé la tyrannie et jeté
les bases de la liberté* [...]; *1789 et 1814 se tiennent noblement
dans votre vie* [...] *Il est doux d'exprimer son admiration
quand on l'éprouve pour un homme qui est en même temps
le sauveur et le plus aimable des Français* [...] *Hommage et
respect. Benjamin Constant.* »
(1) Mme de Staël, mieux placée que Benjamin, fut
avertie avant lui de l'impossibilité où allait se trouver Bernadotte de réussir dans ses desseins. Aussi
avait-elle précédé B. C., rejoignant la première le
camp des Bourbons. Rien d'amusant comme la manière dont Germaine dissimule, dans ses *Considérations*, les grands espoirs personnels qu'elle avait fondés,

vie... » La bonne blague! Il s'agit maintenant
de trouver quelqu'un d'autre à qui porter ces
empressements.

Benjamin Constant, en 1814, a laissé voir à
ce point sa fureur de parvenir coûte que coûte,
il en a tant fait, il est allé si loin dans la bassesse
que Mme de Staël elle-même en a eu un haut-
le-cœur. Non seulement, dans son *Usurpation*,
il a tenu, lui l'ex-fructidorien, l'ancien com-
parse du 18 Brumaire, un langage, dit Broglie
(*Souvenirs*, I, 282) « *qu'un habitué de Coblentz
n'eût pas désavoué* », mais il a déclaré à Mackintosh qu'il fallait « *mettre la France au ban des
nations* ». Et Germaine a cru devoir le rappeler

un temps, sur un régime Bernadotte en France. Elle
joue l'innocente, la pas-renseignée, l'incrédule : « *On
a prétendu*, écrit-elle (*Considérations*, t. III, p. 35), *qu'il*
[Bernadotte] *avait eu l'ambition de succéder à Bonaparte*
[...]. » Elle ne sait rien d'un tel projet; elle ignore tout;
elle inclinerait à croire qu'il s'agit là d'une légende,
malveillante, tant cette pensée eût été absurde. Mme de
Staël croit pouvoir compter sur le secret, à jamais, de
sa correspondance privée. Elle pense, à tort, que nul
ne saura jamais ce qu'elle écrivait, par exemple, le
23 janvier 1814, à B. C. : « *Le prince de Suède* [...] *devrait
être le Guillaume III de la France.* » Elle aussi avait em-
ployé, à l'intention de Bernadotte, un vocabulaire de
ferveur. « *Dites bien au Prince*, écrivait-elle à Schlegel
le 10 mai 1813, *que je suis à lui à la vie, à la mort.* » Et,
de la même, au même, 30 novembre 1813 : « *Faites
que le Prince croie à mon attachement sans bornes.* »

à la décence. Le 23 janvier déjà, elle lui écrivait :
« *Il n'est plus temps d'exciter contre les Français;
on ne les hait que trop* [...] *Réfléchissez à ce que
vous êtes en train de faire* » (1); elle a éclaté, le
22 mars : « *J'ai lu votre mémoire. Dieu me garde
de le montrer !* [...] *Vous n'êtes pas Français, Benjamin* » (2). Et c'est aussi ce que va lui rappeler

(1) Ce 23 janvier 1814, dans un bel élan, Germaine
s'écriait, à l'adresse de B. Constant : certes, Napoléon
est exécrable, mais « *quel cœur libre pourrait souhaiter
qu'il fût renversé par les cosaques?* » Elle oubliait un peu
vite ce qu'elle avait écrit elle-même, de Stockholm,
le 30 mars 1813, à Frederikke Brun : « *Les cosaques?* »
Eh bien oui, « *qu'ils soient les bienvenus s'ils rendent à
chaque nation comme à chaque homme son individualité naturelle* » — et, particulièrement, à Mme de Staël sa place
normale et prééminente dans une France bien faite.
Si B. C. est en pleine euphorie, vibrant, flambant, devant
l'écrasement de la France, Mme de Staël, pour sa part,
est un peu gênée. L'invasion, nos déroutes, la chute de
Paris, tout cela lui fait mal. Le 25 février 1814, elle
écrit à sa cousine Necker de Saussure : ce pauvre grand
Paris ! « *je voulais que les Alliés n'y arrivassent pas...* »
Mais les vœux et les intérêts de Mme de Staël sont
les mêmes que ceux de Constant. Ils ont besoin, l'un
et l'autre, que Napoléon disparaisse. Mme de Staël s'en
tire avec un pleur, et sa conscience est en repos. Le
9 juin 1815, Germaine rappellera à lord Harrowby
ce qu'elle lui a dit, en 1814, lorsqu'elle souhaitait, dé-
chirée, une victoire de Napoléon, mais sa mort au
combat : « Je reviens au même souhait que j'osai
vous prononcer en Angleterre : *victorious and killed.* »
(2) Constant est si peu « Français », en effet, que
lorsqu'il dit « *notre pays* », dans sa lettre du 29 janvier 1814 à Rosalie, c'est la Suisse qu'il désigne. B. C.

l'*Ambigu* de Peltier, le 10 mai, en réponse à
un article que Benjamin a publié, dès le retour
du roi : « *Il me manquerait, pour vous parler et
vous entendre, le sang suisse, comme à vous, Monsieur, il manque le sang français.* » Et cependant,
comme il avait été méticuleux, Constant, pour
l'édition française de son *Esprit de Conquête,*
lancée chez Nicolle, en hâte, le 22 avril (1)!
Quelle toilette savante! Supprimé, le cha-
pitre v de la Deuxième Partie, qui n'avait de
sens que pour préparer l'accession de Bernadotte au trône; effacées les insultes à la noblesse
qui s'est ralliée à Napoléon mais que voilà
groupée autour d'un prince débonnaire; ad-

se félicite (il en est, dit-il, « *enchanté* ») de « *l'adhésion* »
donnée par la Suisse à « *la grande coalition* ». Mais la
traditionnelle et imprescriptible neutralité helvétique?
Schlegel avait eu, sur ce point, le 17 décembre 1813,
dans sa lettre de ce jour-là à la Suissesse Germaine
Necker, un paragraphe singulier, un peu lourd, mais
dont on ne voit point que Mme de Staël lui ait tenu
rigueur. La neutralité helvétique? « *Il faudrait bien se
persuader du principe de la comédie : point d'argent, point
de Suisse. On irait fort loin avec 50 000 écus [...]* »

(1) Toujours obligeante, Germaine avait bien tenté
de faire gagner de l'argent à Benjamin, en Angleterre,
au moyen d'une édition britannique de son *Esprit de
Conquête.* Murray s'était laissé convaincre. L'ouvrage
parut, à Londres, au début de mars 1814, mais l'éditeur, navré, ne parvint à en écouler que 147 exemplaires.

jonction d'un paragraphe flatteur pour les
armées françaises et l'esprit d'humanité dont
elles ont su faire preuve dans les territoires
d'occupation (1); « *la France* », dans l'édition
originale (parue à Hanovre) devenue « *notre
belle France* » dans l'édition parisienne. Etc...
Peines perdues. *Journal intime*, 19 avril : « *Quel
peuple!* », 21 avril : « *Les Français sont toujours
les mêmes* »; 23 avril : « *Ce pays-ci n'ira pas* »;
30 avril : « *Je ne crois pas qu'il y ait rien à faire.* »
B. C. reste en rade, et c'est vers le tzar qu'il
regarde à présent; 22 avril : « *Envoyé mon
ouvrage à Nesselrode pour Alexandre* »; 24 avril :
« *La Harpe* [...] *Tâchons par lui de parvenir jusqu'à Alexandre* »; 4 mai : « *Rendez-vous, vendredi,
chez l'Empereur Alexandre.* » Après tout, pourquoi pas une bonne situation chez les Russes,
si Paris est impraticable? « *Au diable la France!* »
(*Journal intime*, 11 août 1814).

---

(1) Le 5 juin 1812, cependant, s'adressant confidentiellement à sa tante Nassau (lettre inédite), Constant
décrivait, avec une horreur indignée, les exactions commises par les troupes françaises sur les terres mecklem-
bourgeoises d'un oncle de sa femme, « *immensément
riche* », il est vrai, mais qui se voit astreint à nourrir
« *dix, vingt et quelquefois cent soldats français par jour* »,
lesquels lui ont « *pillé, il y a un an, un château où on lui
a pris tous ses chevaux, bu tout son vin, brûlé ou volé son linge.* »

*
* *

Mme de Staël, au contraire, connaît la béa-
titude; ses « affaires » prennent l'aspect le plus
avenant. Loin de lui être rogues et durs, les
Bourbons ne sont pour elle que sourires, et
les « *deux millions* » ont bien l'air de se rapprocher. Le duc de Berry en personne est venu
la voir à Londres, puis le comte Dillon, que
lui envoyait M. de Blacas, « premier ministre »
de Louis XVIII. « *Tout ce que vous désirerez...* »,
lui a dit, en propres termes, cet émissaire ado-
rable. Effacés, abolis, les propos qu'elle tenait
à Hochet, le 17 septembre 1804 : « *Je me prononce contre la dynastie des Bourbons...* » Sereine,
et la mémoire vierge, Germaine, le 14 avril 1814,
écrit au même Hochet : « *La France! Ah,
puisse-t-elle renaître sous ses rois et la liberté! [...]
J'ai eu beaucoup à me louer de Louis XVIII.* »
Dix jours plus tard, elle dit à Constant : « *Je
suis tout à fait d'avis qu'il faut se rallier aux Bourbons [...] Je reviendrai cocarde blanche le plus sincèrement du monde.* » Le 12 mai 1814 Mme de
Staël rentre à Paris et les portes du Paradis

s'ouvrent pour elle : après tant d'années affreuses, son salon retrouve sa splendeur; il sert de lieu de réunion à tous les chefs des Coalisés (1). De Germaine de Staël au roi Louis XVIII, Coppet, 23 juillet 1814 :

ire,

J'ai vu dans les journaux que Votre Majesté était au moment de régler les dettes dans lesquelles Elle a daigné me promettre de me comprendre. J'ose me rappeler à Sa bonté suprême, et j'attends dans ma retraite, avec confiance, qu'Elle voudra bien me faire mettre sur la liste de ceux qu'Elle a résolu d'acquitter à présent.

Mes enfants et moi, nous regarderons cet acte de justice comme un bienfait et des sentiments profonds et animés rempliront à jamais nos cœurs de dévouement et de reconnaissance.

Je suis avec respect, de Votre Majesté, la très humble et très obéissante servante et sujette.

N. DE STAËL-HOLSTEIN.

(1) Le 20 juin 1814, Mme de Staël signale à sa cousine Necker de Saussure qu'elle a « *vu le Roi, hier, en particulier* »; « *il m'a dit : — Je reconnais votre dette et je prendrai des arrangements pour la faire payer.* » Et elle ajoute, doucement vibrante : « *Lord Wellington a passé la soirée chez moi, avant-hier; de ses deux jours à Paris, il m'en a donné un.* »

Le 16 janvier 1815, Charles de Constant apprend à sa sœur Rosalie que Mme de Staël a obtenu de la monarchie restaurée un premier témoignage d'équité et de gratitude : l'État lui versera « *80 000 livres de rente* » (soit 32 millions-1959) en acompte sur les « *trois millions* » qu'elle réclame. « *Si le roi*, écrit Germaine à Meister, le 28 février 1815, *n'avait eu la bonté d'acquitter les deux tiers du dépôt de mon père (sans les intérêts), le mariage d'Albertine eût été difficile* (1). » Albertine, fille de Benjamin, est fiancée avec un Broglie, mais on est très strict, dans la maison de l'épouseur, sur le chiffre de la dot. (« *L'auri sacra fames* », observe Charles de Constant, joue un grand rôle dans ce mariage.) Mme de Staël presse ses amis royalistes; ce

(1) Avec un vague demi-sourire, Sismondi, au lendemain de l'événement, écrit à Mme d'Albany : pauvre Mme de Staël ! « *ces deux millions qui s'envolent au moment où elle étendait la main pour les prendre ! ce mariage brillant pour sa fille qui pourrait bien manquer !* » Que d'infortunes !
Mme de Staël attachait un prix infini à cette alliance avec les Broglie. Germaine Necker gardera toujours devant la noblesse cet éblouissement naïf et bourgeois que discernait très bien chez elle, pour s'en divertir, Mme de Charrière. Chamisso notait à ce propos, en août 1810 (lettre à La Motte-Fouqué), que Mme de Staël tenait beaucoup à faire la « grande dame »; « en ce qui la concerne », notait Chamisso, c'est « une aristocrate enragée ».

n'est plus une rente qu'il lui faut; ce sont les
millions eux-mêmes, en espèces, tout de suite,
à cause de ces Broglie qui ne plaisantent pas.
Au début de mars 1815, elle est sur le point
d'aboutir. Et, soudain, le coup de tonnerre de
Golfe-Juan; l'usurpateur qui revient, la France
qui l'acclame! « *Avez-vous l'idée du guignon qui
me poursuit! Quatre jours avant ma liquidation!* »
(Germaine à Meister, 25 avril 1815).

V

LES CENT-JOURS

OU
LES VOLTIGEURS

Dernier épisode. Les Cent-Jours.

Là encore, sur les comportements réels de Mme de Staël, un écran de fumée que s'en fussent voulu de dissoudre les biographes de bonne compagnie, ceux que saluait le comte d'Haussonville en 1913, dans la *Revue des Deux Mondes* du 15 février, et qui savent ne jamais « *se départir* », à l'égard de Mme de Staël, « *de la mesure avec laquelle les écrivains de bon goût parlent d'une femme qui a appartenu à un certain milieu social* » (1). Regardons d'abord évoluer Benjamin (2).

(1) Albert SOREL, historien bien élevé du type le plus exemplaire, dans son ouvrage, réputé « classique » : *Madame de Staël,* passe comme chat sur braise sur l'attitude de Germaine pendant les Cent Jours. Et que d'autres exemples de ces gentillesses distinguées !

(2) Il importe de bien comprendre, d'abord, que B. C. est profondément déçu de la Restauration. Il a contre lui, comme il l'explique très bien à Juliette Récamier (Lettre XXXIV), « *ce titre d'étranger qu'on*

On répète, et l'on se doit de répéter lorsqu'on est un « bon » historien, que le fameux article des *Débats*, daté « *Paris, 18 mars [1815]* », et publié le lendemain 19 (l'article où « *Buona-parte* » s'appelle aussi « *Attila* » et « *Gengis-Khan* »; l'article où Benjamin Constant s'écrie : Vive le Roi ! « *Je n'irai pas, misérable transfuge,*

m'opposera toujours » (« *ce mot d'étranger est insurmontable* », notait-il déjà, avec rage, le 10 juillet 1814, dans son *Journal intime*), et le « *souvenir* » aussi, de ses anciennes « *opinions* » (ses brochures, publiées sous le Directoire). Au mois d'octobre 1814, Constant a cru trouver une issue du côté de Naples; il cherche à se vendre à Murat, lequel serait preneur. Mme Récamier estime que ce qu'il médite est une chose « *inconvenante* » (même lettre), mais B. C. se déclare résolu à passer outre (« *la carrière où j'entre* », écrit-il en propres termes). Sans doute, « *la France va m'être fermée* »; mais pour ce qu'elle lui rapporte ! Que Juliette lui soit compatissante. Si fort qu'elle le désapprouve, du moins qu'elle se taise, du côté de la Staël : « *Je vous supplie de ne rien* [lui] *dire* [...] *Si vous l'excitiez à l'opposition, son imprudence ébruiterait la chose et, alors, le danger serait grand; elle pourrait me faire arrêter* [...] »
Dans son *Mémoire* du 24 juillet 1815 à Louis XVIII, B. C. se vantera, comme suit : « *Un des souverains que les dernières révolutions ont renversés* [Murat] *me fit proposer, il y a six mois, de passer à son service* [...] *Il m'offrit des appointements très considérables. Je refusai.* » La vérité est que les exigences de Constant en matière de titre et de traitement avaient été jugées, à Naples, inacceptables (cf. la lettre de Caroline Murat, portant le n° XXXVII dans la correspondance B. C.-Juliette). Du *Journal intime* (5 novembre 1814) : « *Il faut tirer parti de l'histoire de Naples pour obtenir, au moins, la Légion d'honneur.* »

me traîner d'un pouvoir à l'autre, couvrir l'infamie par le sophisme, et balbutier des mots profanés pour racheter une vie honteuse »), B. C. ne l'a rédigé que sous l'effet de sa passion pour Mme Récamier. Il chérit cette femme; il ne pense qu'à elle; elle est royaliste; il risque tout pour la conquérir. Plus moyen, malheureusement, depuis qu'a été révélé son *Journal intime*, plus moyen de souscrire à cette noble affabulation. Jamais, en aucune circonstance, Benjamin Constant n'a laissé ce que l'on baptise ses « amours » interférer en rien dans ses combinaisons d'avancement. Le *Journal* est explicite; 13 mars 1815 : « *Vu Juliette. Elle a refusé de me recevoir* [...] *J'en ai été triste, mais j'ai bien autre chose à faire.* » C'est la veille, en effet, 12 mars 1815, qu'un appât inespéré a été offert à Constant pour le retenir dans le camp du Roi. « *Idée de la pairie.* » Depuis un an que la Restauration est faite, Benjamin, en dépit de toutes ses manœuvres, n'a pu s'emparer d'aucune place. Ni job, ni titre. Rien (1). La candidature qu'il a risquée à l'Académie, en janvier 1815, semble vouée

---

(1) Le 31 janvier 1815, il a noté dans son *Journal* : « *Voyons* [essayons encore, une dernière fois] *si je puis me faire une bonne place en France; sinon, partons.* »

infailliblement à l'échec (1). Et brusquement,
l' « idée de la pairie »! S'il ne trahit pas, cette
fois-ci, le parti gouvernemental lui a laissé entendre que le Roi, en récompense, pourrait lui
conférer la pairie. Pair de France! Lui, l'étranger, quel coup de maître s'il décroche ce titre!
La voilà, toute l'explication de son article
du 18 mars. Constant joue la carte Bourbon.
Le risque qu'il prend, c'est le gage qu'il donne.
Si sa carte sort, le but de sa vie est atteint.
L'article achevé, Benjamin frissonne. L'article paru, il tremble tout à fait. (*Journal,*
19 mars 1815 : « *L'article a paru; bien mal à
propos; débâcle complète.* ») Après s'être tapi,
quarante-huit heures, à la Légation des U.S.A..
Benjamin, le 23, s'enfuit (2). Deux jours et

(1) L'élection aura lieu le 29 mars. Benjamin Constant
n'obtiendra pas une seule voix.
(2) Plein de stoïcisme, à la fois, et de passion, B. C.
avait écrit à Juliette (Lettre LXXIV) : « *Ma position
est simple. Si vous partez, je pars; sinon, je reste et cours les
risques de mon séjour avec Bonaparte.* » (Lettre LXXV :
« *Si Bonaparte est vainqueur, M. de Nadaillac et M. de
Forbin feront leur paix et reprendront du service sous le
nouveau gouvernement; moi seul je périrai si je tombe en ses
mains* »; lettre LXXI : « *Je reste pour vous prouver au
moins qu'il y a en moi quelque chose de courageux et de bon.* »)
Or Juliette reste, et B. C. prend la fuite — pour revenir
bientôt, et obtenir de Bonaparte ce « grand emploi »
qu'il n'a pas pu saisir sous la Restauration.

deux nuits de course folle. Il a cherché refuge
en Vendée.

Pourtant, B. C. n'oublie pas que, déjà, le
12 mars, les bonapartistes — qu'il était allé
voir, à toutes fins utiles — n'ont pas été désa-
gréables. Son *Usurpation*, de l'année dernière,
et son *Esprit de Conquête*, ils les lui passent bien
volontiers. Les phrases, en politique, n'en-
gagent que les sots; tout esprit délié utilise
cette terminologie foraine en fonction de ses
intérêts tactiques, uniquement. On connaît
Constant, autour de Fouché; on le connaît
bien; on sait, d'expérience, qu'il est fort duc-
tile. Et B. C. a noté, ce 12, sur ses tablettes :
« *Les buonapartistes m'amadouent.* » Allons, tout
n'est pas perdu, pour lui, avec le retour de
Napoléon au pouvoir. Prompt comme il l'est
à la panique, il a cédé à ses nerfs. Arrivé le 24
en Vendée, il reprend la route, le 25, en direction de Paris. Prudemment, malgré tout, il
s'arrête à Sèvres, d'abord, le 27, à 5 heures du
matin, et il y reste toute la journée, s'informant,
supputant ses chances. Le soir, il entre dans
Paris et, dès le 28, il « *fait des visites* », chez
Sébastiani, d'abord, lequel s'était montré, le
12 mars, particulièrement séducteur. Et les

choses, ma foi, se présentent au mieux (1).
« *Promesses rassurantes* »; après Sébastiani,
Fouché; « *autres promesses, non moins rassurantes.* »
Sébastiani lui a suggéré un plan d'action assez
ingénieux : que B. C. lui adresse donc une
lettre, dont ils arrêtent ensemble le canevas,

---

(1) On lira avec intérêt la version de tout cela présentée par Constant dans l'apologie qu'il rédigea,
le 21 juillet 1815, à l'intention de Louis XVIII, — première esquisse de ce *Mémoire sur les Cent Jours*, « à
mon gré son chef-d'œuvre », comme disait Coulmann
(*Réminiscences*, III, 43). Pourquoi Benjamin Constant
s'est-il rallié à Bonaparte dès la fin de mars 1815 ? Écou-
tons bien : « *Bonaparte me fit appeler sans que je l'eusse
sollicité, et dans un moment où, revenu à Paris faute d'avoir
pu franchir la frontière, je me préparais à un nouveau départ* »;
or ce qui se passait était insoutenable pour un cœur
français : « *Je vis des Autrichiens, des Prussiens, des Anglais
et des Russes s'avancer en armes contre la France* »; le « *premier point* » était de les « *repousser* »; la protection de
« *l'indépendance nationale, l'éloignement de toute intervention
étrangère* », c'est là, pour un patriote, la « *condition essentielle, devant laquelle tout disparaît* »; je l'avoue, dit Benjamin Constant, avec fierté, je le confesse, « *j'ai regardé
où était l'étranger, et, sans autre examen, je me suis rangé
dans le parti contraire.* » Veuille le Roi me pardonner
cette impulsion aveugle, sans doute, mais chez moi,
tel que je suis, irrésistible...
    De haut goût, non? ce petit discours chez un homme
dont le zèle frénétique en faveur des Coalisés avait
écœuré en 1814, jusqu'à sa complice. Avec le même
aplomb, en 1829, dans ses *Mélanges de Littérature et de
Politique*, Constant jugera sévèrement Bernadotte, qui
eut, dit-il, « *le tort irrémissible d'avoir soulevé les étrangers
contre son pays natal* ».

une lettre « *ostensible* », autrement dit que l'on
montrera à l'Empereur, et dans laquelle B. C.
expliquerait qu'il est sans préjugés, que ce qui
compte pour lui, avant tout et toujours, c'est
la France, c'est l'intérêt de la nation; qu'il est
réaliste; qu'il constate l'enthousiasme du pays
pour l'Empereur reparu, et que, dans sa passion d'être utile, il serait tout prêt à mettre au
service du Souverain ce qu'il peut avoir de
talent. Quelque chose de ce genre, enfin; moins
net, si Constant le désire, au bénéfice de sa
dignité, mais qui soit cependant suffisamment
clair pour que Napoléon comprenne : B. C. est
disponible; il n'est que de lui trouver un emploi
bien rémunéré, et il écrira ce qu'on voudra.
Benjamin s'est donc empressé de bâtir l'épître
« ostensible » et de la remettre à Sébastiani. Si
tout va bien pour lui, Mme Récamier en tombera des nues. Eh bien, elle en tombera, voilà
tout. Mme de Staël jettera des éclairs? Et
après! Qui tient le manche? Le Roi, Juliette,
Germaine? Non; Napoléon. Par conséquent...
Benjamin ne va tout de même pas — il
nous l'a dit en 1807, lors de sa tentative
infortunée de « raccommodement » — se
« *sacrifier à des femmes!* » Et il aura qua-

rante-huit ans révolus en octobre. Hardi!

Journal intime, 29 mars 1815 : « *Sébastiani.*
Sécurité. Espérances. » Sébastiani a vu le Maître
et le Maître est très bienveillant. Du 29 au soir :
« *Sébastiani de nouveau. Il dit mon affaire faite.*
Vogue la galère! » (Le même mot qu'en janvier 1814, à propos de l'*Esprit de Conquête*,
lors de l'opération inverse; mais B. C. a raison
d'employer le même vocabulaire, puisque c'est
toujours la même entreprise). « Constance
de Constant », comme on l'a dit si bien;
l'unité de sa vie politique est là. Règle permanente : « *Il faut suivre le sort qui s'offre* »
(*Journal*, 30 mars 1815). Benjamin a trouvé,
d'ailleurs, son argument justificatif, à l'adresse
de « l'opinion ». Il connaît à fond cet art, dont
il parlait le 19 mars, de « *couvrir l'infamie par*
le sophisme ». Il tient son thème, et il le tient
du Maître lui-même, plus que personne habile,
selon l'auteur des *Dix Années d'Exil* (I, VII),
« *à donner des mensonges pour prétextes à ceux qui*
ne demandent pas mieux que de s'en servir » : Benjamin Constant ne se rallie à l'Empereur que
parce que l'Empereur se rallie à la « liberté ».
Mais il aurait dû brûler son *Journal* où se lit,
noir sur blanc, sous la date du 31 mars 1815,

l'observation que voici : les intentions pro-
clamées, les déclarations de propagande « *sont
libérales; la pratique sera despotique* »; avec cette
glose immédiate : « *N'importe!* ». Victor
de Broglie, le fiancé de sa fille, est venu le
voir, ce 31 mars, et B. C. a pu mesurer à quel
point on lui en voudra, dans son clan d'hier,
de s'être ainsi vendu : « *Désapprobation du public
pour toute place.* » Derechef : « *N'importe!* »
Ils sont bons, ces installés, ces grands sei-
gneurs! Quand il sera un installé, à son tour,
on finira bien par le respecter.

Ce même 31 mars 1815, Constant remet à
Joseph un « *mémoire sur la paix* » qui paraîtra,
anonyme, le 4 avril, dans le *Journal de Paris*.
« *Si l'on me devine, et l'on me devinera, on en dira
de belles!* » (1) note B. C. sur ses tablettes.
Tant pis! (Et ceci, bref, éloquent, du même
jour : « *Fouché. Offres de service.* ») Du 8 avril :
« *Joseph. C'est décidé.* » Puis une envie de fuite,
l'idée d'une trahison immédiate, tant il se sent,

---

(1) On lit en effet dans l'article ces mots qui pourraient surprendre sous la plume de celui qui, le 19 mars
encore (il y a quinze jours), était le bourbonien que l'on
sait : « *Les Bourbons sont tombés parce qu'ils ne tenaient
à rien et que l'édifice de leur gouvernement éphémère n'avait
ni bases ni fondements. L'Empereur* [au contraire, etc...]. »

partout, « désapprouvé », condamné, méprisé.
Il médite une volte-face, un pamphlet royaliste,
puis il se cacherait. Mais non. C'est absurde (1).
Du 14 avril, dans l'ivresse : « *Entrevue avec
l'Empereur. Longue conversation.* » Maintenant
qu'il se prépare à honorer Benjamin Constant
d'une faveur juteuse, le « *lâche coquin* » (2) de
janvier 1814 est devenu « *un homme étonnant* »;
« *arriverai-je enfin?* » Du 15 avril, avec un petit
ricanement : « *Seconde entrevue* [...] *Ce n'est pas
précisément la liberté qu'on veut!* » Du 20 : « *Ma
nomination signée.* » Benjamin Constant est conseiller d'État; 30 000 livres d'appointements
(12 millions-1959) (3). Du 23 avril : « *Lever*

(1) Cf. J.-J. Coulmann, *Réminiscences* (t. III, 1869,
pp. 43, 41 et 57) : Benjamin Constant — cet « *athlète
intrépide et infatigable des franchises nationales* », et qui ne
se laissait « *tenter ni par les emplois ni par les grandeurs* »
— « *n'a jamais fait fléchir ses principes politiques* »; « *l'intérêt supérieur du pays domine toujours son intérêt particulier.* »
(2) Cf. également B. C. à Mme de Nassau, 20 avril 1814,
à propos de l'abdication de l'Empereur : « *A-t-on
jamais réuni plus de bassesse et plus d'insolence?* » Il semble
que Napoléon ait voulu nous montrer à plein « *de
quel gredin nous avons été les esclaves* ».
(3) Charles de Constant — un esprit chagrin — note
le 1er mai 1815 : Voilà Benjamin conseiller d'État; « *il
dira que Bonaparte a pris goût et singulièrement, à la liberté;
pour être cru, il faudrait qu'il eût refusé cette place* [...]; *
l'argent, c'est le mobile qui explique tout.* »

[le « lever » du monarque]. *Me voilà donc de la nouvelle cour* »; 25 avril : « *Prêté serment.* »

*
* *

Côté Benjamin, nous sommes au fait (1).

Et côté Germaine? Des deux, j'avais cru longtemps que le premier était le plus curieux à considérer dans cette aventure des Cent-Jours. Je me trompais. Les comportements de Mme de Staël y sont d'un pittoresque au moins égal.

Lorsque Mme de Staël a appris, le 6 mars, avec tout Paris, que Napoléon avait repris pied sur le sol français, elle a espéré, d'abord, que les forces du Roi viendraient à bout de lui

---

(1) Le 28 mai 1815, dans une lettre à Napoléon dont les archives Récamier-Lenormant nous ont conservé le texte, B. C. le courtisan parlait à l'Empereur de ces « *deux choses* » désormais « *inséparables : la gloire de Votre Majesté Impériale et la liberté de la France* ». Une lettre non retrouvée, et qui doit être un chef-d'œuvre, est celle que Constant adressa, le 30 avril, à l'Empereur lorsque de mauvais plaisants lui jouèrent le très vilain tour de réimprimer son article du 19 mars. *Journal intime*, 29 avril : « *On veut réimprimer l'article du 19 mars. Gare!* » 30 avril : « *L'article réimprimé et envoyé partout. Lettre à l'Empereur. Peut-être une sottise* »; 1er mai : « *L'imprimé paraît n'avoir pas fait d'effet. Ce serait une grande montagne passée.* »

sans peine. Mais, le 11 mars, devant la « *débâcle affreuse* » de l'armée qui, régiment par
régiment, se donne au Corse, Germaine, épou-
vantée, vole vers la Suisse. Son gendre assure,
dans ses *Souvenirs* (I, 290), vertueusement, que
les bonapartistes ont bien tenté de retenir
Mme de Staël à Paris en lui prodiguant les
paroles les plus apaisantes, les plus alléchantes
même, mais que l'Incorruptible a repoussé,
« *avec dédain* », ces « *insinuations* » basses. Entre
elle et Bonaparte, il y a tout l'abîme des principes, et nous savons ce qu'est sa « conscience » pour l'auteur des *Dix Années d'Exil*.
Juliette Récamier reste à Paris. Elle n'a pas
collaboré, elle, au *Système continental* de Schlegel ! Mme de Staël se voit déjà dans un cachot
et, crevant les chevaux de sa berline, elle se
rue vers Coppet pour s'y terrer. Néanmoins
une petite lumière brille devant elle : Joseph,
qui lui a toujours été si dévoué ! Pendant
l'hiver 1814-1815 — Joseph ayant cherché
refuge à Prangins, tout à côté de Coppet —
Germaine l'a fait avertir d'un projet d'assassinat, dont elle aurait eu vent, nourri contre
son frère, à l'île d'Elbe, par deux insensés fana-
tiques. Napoléon lui tiendra compte, peut-être,

de ce beau geste. Et, bientôt, une surprise,
ravissante. Germaine reçoit une lettre de Fouché, datée du 24 mars; une lettre qui contient
les indications les mieux faites pour la séduire :
que l'Empereur veut lui être agréable, qu'il
prend intérêt à ses « *affaires* », qu'il se montre
ému de la « *position délicate* » où se trouve
« *Mademoiselle de Staël* », avec ce mariage Broglie
différé, menacé, en raison de la dot incomplète.
C'est merveilleux ! Mme de Staël partage avec
Benjamin Constant cette disposition fondamen-
tale à considérer selon leurs incidences particulières, d'abord, les choses de la politique.
Le 14 août 1814, elle avouait à Benjamin que
Louis XVIII la navrait, certes, avec ce refus
qu'il opposait à « *la liberté de la presse* »; « *mais
laissons cela* », enchaînait-elle aussitôt; « *je désire
seulement être payée* »; si Louis XVIII, enfin, lui
verse son argent, Germaine n'aura pas la sottise
d'aller lui faire de l'opposition.

Ce n'est pas d'hier que B. C. a décelé en elle
(rappelons-nous la note du *Journal intime*,
12 août 1804) ce « *besoin* » qu'elle a, irrépressible,
« *d'être bien avec le Pouvoir.* » Et le Pouvoir,
c'est un fait, s'appelle maintenant Napoléon;
maintenant et de nouveau; mais avec cette

différence essentielle entre hier et aujourd'hui
qu'hier, à l'égard de Mme de Staël, Napoléon
était méchant, alors qu'il est gentil, aujour-
d'hui, facile, prévenant, la bonté même. Après
Fouché, c'est Joseph qui se manifeste (Germaine
lui a-t-elle écrit la première? C'est probable);
le 31 mars 1815, Germaine signale à Mme Récamier la « *bienveillance que l'Empereur a bien
voulu* » *(sic)* lui témoigner, et même lui « *faire
connaître* », directement, « *par son frère* ». Veuille
Juliette, en conséquence, s'employer sans retard
à obtenir du gouvernement impérial ce que
l'on avait obtenu du gouvernement précédent :
que la créance Necker soit « *déclarée dette de
l'État* ». Juliette serait bien bonne de voir à
ce sujet la reine Hortense, qui peut être d'un
grand secours.

Dès le 1er avril 1815, B. C., au cours d'une
conversation qu'il a avec Victor de Broglie,
discerne que Mme de Staël, elle aussi, « *a bien
envie de se raccommoder.* » Elle n'a pas perdu son
temps, on l'imagine; elle a répondu tout de
suite à Fouché, et décidé d'envoyer Auguste à
Paris pour profiter en hâte des attentions du
Maître. « *Je vous recommande mon fils*, écrit-elle
à Joseph. *Faites qu'il voie l'Empereur.* » Ce que

subodorait Constant, le 1er avril, lui est donc
rapidement confirmé, par ce que lui écrit la
dame elle-même : « *Comme j'ai su positivement*
que l'Empereur avait bien voulu dire qu'il était très
content de mon silence pendant cette année et de toute
ma conduite envers lui, et que je pouvais revenir,
j'ai écrit au ministre de la Police et au Prince
Joseph pour leur dire que ce n'était pas revenir à
Paris que je souhaitais, mais [seulement] *que la*
promesse d'inscription que je possède [l'inscription
de la créance Necker sur la liste des dettes
nationales à liquider immédiatement] *ne fût pas*
refusée. » Mme de Staël reste sur ses gardes.
Napoléon lui tend un appât afin qu'elle procure
l'appoint de son illustration « libérale » à ce
règne qu'il entreprend sur nouveaux frais, et
Germaine cherche à manger le lard sans entrer
dans la souricière. Constant souhaiterait qu'elle
s'engageât plus. Victoire pour lui, victoire
morale, s'il amène Mme de Staël à l'imiter dans
son ralliement. Il a bien déjà Sismondi avec
lui; mais avoir Mme de Staël à ses côtés, quel
avantage, quelle caution ! Et quel bouclier pour
le cas où... Il insiste donc auprès d'elle pour
qu'elle vienne à Paris, qu'on l'y voie. Il a soin
de lui faire comprendre que ses intérêts finan-

ciers et le succès de ses démarches réclament
sa présence dans la capitale. Langage auquel
Benjamin se persuade que Germaine ne saurait
demeurer insensible; d'autant plus que Victor
de Broglie la consterne. L'affaire des « deux
millions » est liée, de la manière la plus étroite,
au mariage d'Albertine. Germaine ne peut
donner que 400 000 francs de dot à sa fille
(160 millions de francs-1959) si la « *liquidation* » ne se fait pas. Elle ajoutera 200 000 francs
si la « *liquidation* » a lieu (1). C'est sur ces
200 000 francs de complément que repose l'alliance. Pas de complément, pas de mariage.
Germaine confie la chose à Benjamin, le
7 avril; il me faut mon « *inscription* », lui dit-
elle; il me la faut absolument. Elle a déclaré
à Fouché comme à Joseph « *que le mariage tenait
à cela* »; et « *en effet* », ajoute-t-elle, amère,
« *je crois qu'il y tient, car il y a quinze jours que
nous n'avons pas un mot de Victor* »; du 10 avril,
à B. C. : « *Depuis l'arrivée d'Auguste, nous n'avons
pas reçu un mot de Victor* [...]; *tâchez de me faire
savoir, sans en parler à qui que ce soit au monde,*

(1) Cf. Sismondi à sa mère, 29 janvier 1815 : Mme de
Staël remet à Albertine « 400 000 *francs, si elle n'est pas
payée; elle en ajoute* 200 000 *si elle est payée.* »

comment il se fait que Victor se conduise d'une façon inexprimable. »

Le 5 avril 1815, Joseph a écrit à la châtelaine de Coppet : « *Je serais bien heureux de contribuer à vous faire rendre la justice que vous réclamez; les dispositions pour vous sont très bonnes et je ne doute pas du succès* »; l'Empereur, du reste, « *veut donner plus de liberté* [presque] *que vous n'en voudrez* »; « *si on le laisse en paix, il fera le bonheur de la France.* » (En post-scriptum, cette récidive sur le point majeur : « *Je vous répète que vos affaires particulières s'arrangeront.* ») Le 7, Germaine transmet ces informations à B. C. : « *Le Prince Joseph m'a envoyé la lettre la plus aimable du monde; il me dit qu'il ne doute pas du succès de ma réclamation.* » Mais elle se dérobe toujours quant à son apparition dans la capitale : « *Ma santé ne me permet pas un séjour à Paris.* » Dans un précédent message (1), elle

(1) La *Correspondance* Germaine-Benjamin publiée par Mme de Nolde et présentée par P. Léon, contient deux lettres de Mme de Staël datées du 17 avril 1815. Date fausse, de toute évidence, pour la lettre placée la seconde, dans l'ouvrage; il y est en effet question du départ d'Auguste pour Paris (« *Auguste va pour cela* ») alors que la première évoque « *ce qu'on a dit* » déjà, au jeune homme, à Paris. Il se pourrait que cette seconde lettre du « 17 *avril* » fût en réalité des tout derniers jours de mars.

s'exprimait plus clairement, sans recourir à
des prétextes : « *J'ai vu Lucien hier; il attend
encore pour revenir* [...]; *je ferai de même, à moins
que cela ne soit nécessaire pour mes affaires* »; (on
l'*aura*, a dû se dire B. C.; on la convaincra de
cette « nécessité »); la phrase qui suivait était
suggestive : « *Il me semble que l'Empereur lui-
même doit trouver mieux que je ne revienne que
quand la Constitution sera finie* ». Autrement dit :
pour que mon nom serve à quelque chose dans
la propagande impériale, il faut que l'on puisse
prétendre que la Constitution a converti jusqu'à Mme de Staël elle-même; le scénario serait
mieux ordonné, de la sorte. Au vrai, et Constant s'en doute bien, Germaine ne cherche qu'à
gagner du temps; à recevoir avant de donner;
à recevoir sans donner, si possible. Germaine
réclame de B. C. qu'il agisse au plus vite; bien
placé comme il l'est, il doit pouvoir lui fournir
sans peine la toute petite chose qu'elle sollicite,
une simple apostille de quatre mots que « *le
ministre des Finances* » mettrait au bas de sa
requête : « *Approuvé la liquidation ci-dessus* »;
Germaine en a fait le modèle; il n'y a plus qu'à
les transcrire; quatre mots, voyons, ce n'est
rien; une goutte d'encre, un griffonnage d'une

seconde, et tout sera dit. L'Empereur veut-il
une garantie? Soit. Germaine se risque. (Seigneur! si ses amis « cocarde blanche » lisaient
cela! Mais ses millions sont à ce prix.) Elle
rédige la déclaration que voici (Benjamin pourra
la montrer à qui de droit) : « *Vous savez très
bien que je ne tiens pas au parti royaliste; si l'Empereur donne la liberté* [et paye ma créance] *il
sera pour moi le gouvernement légitime* »; d'ailleurs,
ajoute-t-elle — circonstance atténuante; cas de
force majeure — avec cette puissance gigan-
tesque dont Napoléon dispose (l'élan du pays,
la ferveur de l'armée), il est terrible, plus qu'il
ne l'a jamais été : « *Je ne sais qui pourrait lui
résister en face* », et, quant à moi, « *j'en serais*
[encore] *moins capable à présent qu'autrefois.* »

Le 17 avril 1815, Mme de Staël écrit trois
lettres, l'une au duc de Blacas, l'autre à Juliette Récamier, la troisième à Benjamin Constant. A M. de Blacas, premier serviteur de
Louis XVIII (il est à Bruxelles), elle envoie ce
témoignage de fidélité : « *Mettez, de grâce, mon
respect aux pieds du Roi. Tout ce qui me revient de
France, c'est de l'amour pour lui.* » Assurance
prise sur l'avenir; mais passons au présent. A
Juliette, Germaine confie ses vœux et ses hési-

tations. Auguste n'a pas encore réussi dans ses
démarches, mais l'affaire est en bonne voie.
Doit-elle revenir, elle-même, à Paris? C'est
bien délicat; « *si ma présence était nécessaire* »,
absolument nécessaire, oui, « *j'irais* » — avec
discrétion, avec brièveté; « *j'irais pour quinze
jours.* » Germaine se persuade pourtant que
cette extrémité coûteuse ne sera pas indispensable; « *je crois qu'Auguste fera tout aussi bien
que moi.* » Le gouvernement devrait avoir le
bon esprit, l'habileté même, de ne pas exiger
son voyage à Paris : « *C'est mieux pour l'Empereur de ne pas m'exposer à ce qu'on dise que je lui
ai parlé.* » Que craint-il de moi? Je suis la
loyauté même. Impossible, naturellement, dans
ma situation, de publier sur lui un dithyrambe,
mais, « *s'il accepte ma liquidation, il est bien sûr
que ma reconnaissance m'empêchera de jamais rien
écrire, ni rien faire, qui lui puisse nuire.* » La neutralité bienveillante de Mme de Staël, ce n'est
point, il me semble, quelque chose qu'on puisse
dédaigner. A l'adresse de Benjamin Constant,
ce même jour, 17 avril, Germaine va plus loin.
Elle veut lui donner l'impression qu'elle ne
résiste plus à ses avis : « *Quand me conseillez-
vous de revenir? Et dois-je choisir Clichy ou un*

appartement en ville? » S'imagine-t-elle Napoléon
assez naïf pour lui lâcher sa « *liquidation* »
gratis? Napoléon amuse doucement le négo-
ciateur Auguste; il lui fait transmettre des
paroles engageantes; mais Auguste ne l'intéresse que comme avant-coureur. C'est Mme de
Staël présente devant lui que veut Napoléon;
Mme de Staël reçue au palais, toute gracieuse,
toute charmante; et on ne laissera point la
chose ignorée. Toute l'Europe en retentira.
Perspective qui donne à Germaine le frisson,
car cet Empereur *redivivus*, combien de temps
durera-t-il?

Germaine balance sur ce qu'elle doit souhaiter : que « l'Homme » persiste ou qu'il s'écroule
une seconde fois. A cause de ce Victor, inqua-
lifiable, elle est tellement pressée d'avoir son
argent qu'elle penche pour la solution offerte
en ce moment même plutôt que vers l'espérance incertaine d'un retour des Bourbons.
Dans les deux cas, elle touche. Mais, avec
Napoléon, c'est tout de suite, dirait-on. Avec
les Bourbons, après-demain, plus tard, qui sait
quand? Et nous allons voir Mme de Staël
tout à coup se refaire, auprès des Puissances,
donneuse de conseils, mais non plus du tout,

comme naguère, pour hâter la chute du Corse;
bien au contraire, à présent, pour tirer les gens
en arrière, recommander l'attentisme, justifier,
presque, Napoléon, en tout cas prêcher à son
égard cette paix dont la seule idée, en 1813,
l'indignait. Une seule chose lui importe : que
l'Empereur dure assez pour ordonner sa « *liquidation* ». Après? Ce que Dieu voudra... Rappelons-nous ce que Joseph lui écrivait, le 5 avril :
« *Si on le laisse en paix* [« le »; mon frère, Napo-
léon], *il fera le bonheur de la France.* » Mme de
Staël n'en demande pas tant. Son bonheur à
elle suffira. Et ce bonheur dépend de la paix.
Si la guerre recommence, c'est sa « liquidation » remise à une date indéterminée, car les
dépenses militaires seront alors un trop bon
prétexte pour écarter le réglement des dettes
particulières. Qu'on n'aille donc pas tourmenter Bonaparte avant, du moins, qu'il ait
remboursé les millions Necker, capital et intérêts. D'où la lettre — qui soulèvera un tel
émoi, du côté de « la famille » lorsque M. Thiers
en fera mention dans son *Histoire du Consulat
et de l'Empire* — la lettre que, le 23 avril 1815,
Mme de Staël adresse à son ami Crawford,
le ministre des États-Unis à Paris, pour que,

l'ayant préalablement brûlée, il en transmette
la substance à lord Castlereagh, chef de la
diplomatie britannique, qu'il doit rencontrer,
sous peu de jours (1) :

Mon Dieu, *my dear Sir*, que je voudrais
être près de vous pour quelques heures, et
vous bien peindre l'état de la France !
Si la paix continue, les têtes se calmeront

---

(1) Cf. *Correspondence, Despatches and other Papers of
Viscount Castlereagh* (London, 1852, t. X, pp. 335-337).
W. H. Crawford, nommé ministre de la Défense aux
U.S.A., devait regagner son pays et voir lord Castlereagh
au passage. Il transmet cette lettre de Mme de Staël,
le 29 avril, à lord C., rappelant à son correspondant
qu'il lui en a déjà communiqué d'*autres*, « *some time ago* »
(celles-là n'ont point, malheureusement, été retrouvées
jusqu'ici), qu'il en a reçu, depuis, d'*autres* encore (Germaine l'accablait de missives), répétant, en somme, les
précédentes, mais que la dernière lettre qui lui était
parvenue de Mme de Staël, celle du 23 avril qu'il adressait à lord C., méritait la lecture.
Dans ses précédents messages — d'après le bref
résumé qu'en donne W. H. Crawford — Mme de Staël
disait les craintes que lui inspiraient « *the Jacobins* »
et montrait Napoléon préservant la France, d'une
subversion sociale. (Constant, pour cette opération
protectrice, était l'agent rêvé. Il passait pour « libéral »,
mais il avait l'horreur et la terreur de la plèbe. Tout
désigné, par conséquent, pour la manœuvre qu'exécutait
Napoléon.)
Pour sa part, il s'est gardé, dit Crawford, de répondre
à cette épistolière torrentielle : « *I have not replied to any
of her letters, but merely desired Mrs. Crawford to thank
her for her remembrance of me.* »

et il y aura ici liberté et repos. Si ces deux
biens nous manquaient, ce serait par l'effet
de nos agitations intérieures et seuls nous en
souffririons; mais les nations étrangères seraient tranquilles et dans la prospérité.

S'il y a la guerre, au contraire, toute la
France se réunira contre l'invasion étrangère, et, si l'Empereur a un premier succès,
comme il l'aura, l'orgueil national fournira
à son vengeur toutes les ressources d'hommes
et d'argent qui lui seront nécessaires.

Je dis qu'il aura le premier succès et je
vous en donnerai les raisons. Vous me direz
que la coalition a bien su arriver jusqu'à
Paris, l'année dernière. Oui, mais la position
des puissances et la nôtre sont bien changées.
L'année dernière, il y avait ici, dans les premières places, des gens qui voulaient un
bouleversement. Pendant le règne des Bourbons, tous ces hommes se sont vantés de
leurs trahisons, qui étaient devenues des titres
aux récompenses, des motifs d'orgueilleuse
indiscrétion. Ils sont donc connus, aujour-
d'hui, ne sont plus employés, et la coalition
ne les aura pas pour l'appeler, et l'instruire
de l'état de la France.

L'année dernière, l'armée, presque anéantie
par les glaces du Nord, par une campagne
malheureuse, l'armée, étonnée de ses revers,
était découragée; aujourd'hui elle s'est re-
formée de toutes les vieilles troupes qu'on
avait laissées dans les places fortes.

Vous connaissez mon exactitude, ma véracité, *my dear Sir*. Que l'Angleterre ne se laisse pas tromper par les émigrés. Il est positif que, depuis son retour, l'Empereur a rappelé toutes ses vieilles bandes, qu'elles arrivent de tous les coins de la France, amenant avec elle des jeunes gens que leur exaltation a électrisés; que l'Empereur a, aujourd'hui, tout équipés, 250 000 hommes de troupes, dont chaque soldat croit valoir quatre hommes; qu'à la fin de ce mois, il aura 50 000 hommes de plus, et à la fin de mai, 100 000 encore; ils sont là; on les équipe.

D'ailleurs, l'esprit du paysan est monté à tel point que, si l'ennemi entre, l'Empereur doit déclarer tous les hommes de France soldats, et ce pays sera pour vous ce qu'a été l'Espagne pour nous. Déjà, l'année dernière, les Alliés craignaient fort le paysan et les partisans; cette année, ce sera bien autre chose; ce sera comme nous étions en Espagne, où le soldat aimait mieux mourir de faim que de s'éloigner à dix pas de sa troupe.

Ne croyez pas les émigrés. Ils se flattent et se trompent depuis vingt ans. Soyez certain que l'état que je vous donne des forces de l'armée et de l'exaltation du pays est absolument, exactement vrai, et, si l'Empereur avait une victoire, le Brabant deviendrait aussi pour les Alliés une Espagne.

Le Prince Régent peut empêcher tous ces malheurs. Oh! qu'il soit grand, magnanime! Qu'il se porte en médiateur! Qu'il attache

son nom, sa force, sa gloire à dire à toutes
les nations : « Je veux la paix et vous res-
terez en paix! » L'Angleterre peut être ainsi
la maîtresse du monde. Avec la guerre, elle
ne sera qu'une partie d'un tout déjà divisé.
Puisque le Prince Régent ne peut marcher
qu'à la tête des Anglais, il ne peut com-
mander aux nations qu'en leur dictant à
toutes la paix. S'ils courent à la guerre, c'est
l'Empereur de Russie qui devient le maître,
l'Empereur de Russie que ses troupes appe-
laient, dès l'année dernière, l'Agamemnon,
le Roi des Rois, l'Empereur de Russie qui
veut la guerre parce qu'à son arrivée à Paris,
M. de Talleyrand, se trouvant compromis et
voulant l'enchaîner à lui, lui fit déclarer qu'il
ne traiterait pas avec Bonaparte. Mais, quinze
jours auparavant, toutes les puissances n'ont-
elles pas traité avec lui à Châtillon? Qu'y
a-t-il de changé? Un traité avec Napoléon
qu'on n'a pas tenu, une année de malheur
pour Napoléon, dont il a profité.

Il désire, il veut la Paix de Paris. Quoiqu'il
ne l'eût jamais signée, il n'y changera pas
une virgule, afin qu'elle soit toujours la
Paix des Bourbons. C'est aussi la paix reçue
par la nation française, et dont elle se conten-
tera. Je vous dirai même qu'il faut la main
de fer de l'Empereur pour retenir son armée,
qui veut regagner ses trophées et sa gloire.
Si une fois cette armée entre en Brabant et
que les Belges se prononcent pour les Français, Napoléon ne pourra plus les aban-

donner, et nous voilà, pour la vanité de
l'Empereur de Russie, dans une guerre de
vingt années avec l'Angleterre.

Oh! que le Prince Régent veuille être le
Dieu de la paix, ou qu'il laisse, avec des
chances bien douteuses, l'Empereur de Russie
être le Roi de cette guerre! La question est
entre ces deux. Le reste leur obéira.

Brûlez ma lettre, *my dear Sir* et *God bless
you*.

Le surlendemain 25 avril, c'est vers Talleyrand (resté à Vienne) que Germaine se tourne.
Il lui a écrit le premier et elle commence par
requérir sa compassion : « *N'y a-t-il pas un
guignon singulier* [dans le fait] *qu'il* [Napoléon]
soit arrivé juste quatre jours avant ma liquidation? »
Puis vient l'altruisme. Germaine s'inquiète
pour « son » Benjamin, qui s'expose terrible-
ment (« *Mon Benjamin est resté à Paris* »). Comme
elle préférerait qu'il acceptât le poste que
Talleyrand lui propose à ses côtés! (« *Je lui
ferai parvenir vos offres, que j'accepterais de tout
cœur, à sa place* »). Un mot à cette occasion sur
l'Empereur; Benjamin l'a « vu deux fois »;
il a « *d'inconcevables facultés* » (1). Mais, que

(1) Germaine, de temps à autre, en convenait. Elle
l'avait dit, notamment, à Gentz, comme on le voit

Talleyrand ne s'y trompe pas ! Si Mme de Staël rend à Napoléon cet hommage, imposé par l'évidence (encore que « l'évêque » ne soit pas d'accord; il méprise Bonaparte; il le tient pour un esprit des plus médiocre), ce n'est certes pas — elle est trop fidèle royaliste — pour lui décerner une flatterie (1). Elle constate seulement que ces « facultés » exceptionnelles, étonnantes, dont la nature, hélas, a doué l'Usurpateur le rendent « *d'autant plus redoutable* ». Toutefois, si les Puissances accordaient quelque crédit à sa faible voix féminine, Mme de Staël hésiterait à recommander la guerre. Elle glisse

par ce paragraphe d'une lettre de Gentz lui-même, 7 février 1813 : « *Pendant votre dernier séjour à Vienne* [juin 1812], *nous avons discuté, à plusieurs reprises, la question si cet homme odieux qui tourmente le monde depuis tant d'années aurait, indépendamment de son audace et de sa malice, quelques titres réels au rôle qu'il a joué, et si l'on pouvait admettre dans sa composition un élément quelconque de grandeur, de génie* [...]; *ie me rappelle que, pour mon désespoir, vous étiez quelquefois disposée à l'admettre.* » (Toujours, chez Germaine, ces restes d'un vieil amour déçu.)

(1) Ce 25 avril 1815, Germaine écrit à Meister également. Comparons ce qu'elle dit à Talleyrand et à Meister. A Meister : « *Joseph m'a écrit que l'Empereur était content de ma conduite pendant son adversité et m'invitait à venir à Paris. Je reste ici, cependant.* » A Talleyrand : « *Joseph m'a fait dire que son frère était éminemment content de ce que je n'avais pas écrit contre lui dans son malheur et qu'il m'invitait à venir à Paris.* »

à Talleyrand : « *Je ne sais si le blocus continental de la France ne vaudrait pas mieux qu'une attaque.* » Pour tenter d'épargner à son débiteur des ennuis prématurés, Mme de Staël, on le voit, dans toute la mesure où elle le peut, s'efforce d'agir sur Vienne par l'entremise de Talleyrand en même temps que sur Londres par celle de Crawford.

L'Acte additionnel — cette Constitution de 1815 baptisée, dans Paris, « *la Benjamine* » — est chose faite. Germaine, le 30 avril, en félicite Constant. Sans doute, sans doute, bien des retouches seraient nécessaires à ce nouveau statut, mais enfin, dans l'ensemble, c'est très satisfaisant, et Mme de Staël a trop souci de l'équité, toujours et avant tout, pour marchander son approbation aux textes qui la méritent. « *Il faut louer ce qui est louable* »; c'est sa loi; la Constitution est sage, « *et je conçois que vous soyez très content d'y avoir collaboré.* » Cet apaisement moral, indispensable, qu'a reçu ainsi Mme de Staël sur le plan des idées, la met à l'aise pour éperonner Benjamin davantage encore dans ses démarches la concernant. Qu'il parle d'elle à l'Empereur, et comme il faut, et selon la pure vérité; « *il ne tient qu'à vous de*

*convaincre l'Empereur que je suis une personne sur
laquelle la reconnaissance aura toujours un plus
grand pouvoir que n'importe quel souvenir.* » L'in-
gratitude sans nom de Bonaparte à son égard,
tant d'avances repoussées, les quarante lieues,
les cinquante lieues, *l'Allemagne* au pilori, l'exil,
— l'Europe incendiée, pillée, ravagée, les héca-
tombes — tout cela ne pèsera plus rien dans le
cœur de Mme de Staël si l'Empereur lui rend
ses millions.

Le mois de mai sera bien triste. En dépit de
toutes ses pauvres tentatives (et nous n'en
connaissons qu'une part modeste, certainement), Germaine voit se rallumer cette confla-
gration qu'elle aurait tant voulu pouvoir épargner au destin, fragile, de sa créance. Avec ses
amis de la veille, ses rapports épistolaires étaient
extrêmement délicats. Il lui fallait, à la fois, ne
point laisser les gens de bien, et autres têtes
couronnées, mettre en doute un seul instant
sa ferveur pour leur cause, et les empêcher,
cependant — quel problème ! — de saccager
ses espérances individuelles. Benjamin, Juliette, ce sont des complices. Ils ne la trahiront
pas. Ce qu'elle leur écrit est remis à la garde
sainte de leur discrétion. Joseph non plus, le

cher homme, n'irait pas lui porter tort. Mais
les Coalisés? Le 4 mai 1815 — elle doit une
réponse à Bernadotte — Mme de Staël détourne,
de son mieux, ce grand niais de Prince Royal
des projets inconsidérés qu'il nourrit peut-être;
« *il n'y a plus de trace*, lui signale-t-elle, *d'insur-
rection dans le Midi* »; cependant, ajoute-t-elle
pour ne point paraître trop défaitiste, « c'est
de ce côté » que « les étrangers » trouveraient,
éventuellement le meilleur accueil. Si seulement
les Alliés pouvaient se faire une raison, attendre
un peu avant de remettre leurs soldats en
marche! Mais non! Ils n'écoutent rien. Le
6 mai, les dés sont jetés. Le détenteur des
millions Necker aura de nouveau à en découdre
avec toutes les armées du monde. Que tout
cela est donc contrariant! Germaine revient à
ce noir pessimisme qui l'accablait à la mi-mars.
Encore une fois, encore une fois ses illusions
qui meurent! Louis XVIII allait la payer quand
cet affreux Corse est venu se jeter à la traverse,
et quand le Corse lui-même semblait prendre
pour elle la suite de Louis XVIII et lui tendait,
ou presque, ses sacs d'or, il aura fallu que les
Coalisés, avec une hâte absurde, cherchent noise
à « l'Homme » adouci, et compliquent tout,

perdent tout — cela paraît maintenant inévi-
table — dans l'opération bienheureuse qui allait
enfin s'accomplir! Pour comble, Benjamin
Constant, tout à coup, se conduit d'une manière
atroce. L'argent qu'il a promis de verser pour
la dot d'Albertine, il refuse d'en livrer un cen-
time. Et s'il se contentait de cette mauvaise
foi! Mais il se surpasse; et Germaine ayant eu
le mauvais goût d'insister, de parler fort, il
trouve, pour arrêter net la quémandeuse, un
moyen qui la laisse bouche bée (1).

Mme de Staël a compris. Inutile de s'obs-
tiner. Elle ne les tirera pas, ses millions, du
gouvernement impérial. Au début de juin,
Auguste quitte la place, constatant que tout
est manqué (2). Germaine, dès lors, n'a plus
qu'à limiter le mal, et faire en sorte qu'au
moins royalistes et coalisés ne devinent rien
de ses petites manœuvres des dernières semaines. Le 24 mai, déjà, elle a fait valoir, auprès

(1) Voir, en appendice, le détail de cette affaire.
(2) Benjamin, devant Juliette, simule toujours un
grand dévouement aux intérêts de Germaine, et déplore
le départ d'Auguste : « *Comment n'a-t-il pas attendu
vingt-quatre heures de plus, surtout si le départ* [de l'Empe-
reur] *pour Saint-Quentin est proche? Si, deux heures après
le sien* [après le départ d'Auguste], *l'Empereur l'avait fait
demander, il ne s'en consolerait jamais, ni sa mère.* »

de Mackintosh la dignité hautaine de sa conduite. Napoléon « *me payerait* », lui disait-elle,
« *si je voulais le lui demander.* » Ces façons-là
lui sont inconnues. Mme de Staël ne s'abaisse
jamais. Puis elle affecte d'être blessée par l'attitude de Constant qui, lui, se vautre aux pieds
du Corse. Dès qu'elle a vu cet ancien ami
démentir ainsi son passé, elle a rompu avec
lui; que Mackintosh le sache. Benjamin Constant « *va faire paraître un ouvrage* (1) *où il essaie
de se montrer conséquent; je suis curieuse de voir
ce tour de sophisme; je ne lui écris plus* » (2). Le
8 juin 1815, sous la plume de Germaine, celui
dont elle conjurait, en avril, et Joseph, et
Juliette, et Constant, d'encourager la « bienveillance à son égard », celui qu'elle faisait
assurer de sa « *reconnaissance* » toute prête, s'ap-

(1) Il s'agit de ces *Principes de politique applicables
à tous les gouvernements, et particulièrement à la Constitution
actuelle de la France*, que B. C. publia, chez Émery, à
Paris, en mai 1815 (*Journal intime*, 3 mai 1815 : « *Il me
faut, d'ici au plus court temps possible, un ouvrage qui réta-
blisse ma réputation* [...] »; 1er juin : « *Succès de mon livre* »).
(2) Lettre inédite. Mme de Staël incite Mackintosh
à penser qu'elle a cessé d'écrire à Constant dès son
ralliement à l'empire. Voici la liste des lettres de Germaine à Benjamin, depuis la fin de mars 1815 : 7 avril,
10 avril, 17 avril (et une autre lettre, antérieure),
30 avril, 15 mai, 23 mai, 28 mai.

pelle, comme il sied, pour le tzar Alexandre,
« *l'homme que nous détestons* » (1).

Le 9 juin, avec un magnifique aplomb, elle
déclare à lord Harrowby : « *Je n'ai point cru
au changement d'un homme* [Napoléon] *qui fait des
manœuvres diverses selon le vent, mais qui tend toujours
au même but* [...] *Je me suis brouillée avec Benjamin
Constant et suis en froid avec Sismondi* [...] *Dieu
nous préserve d'une victoire de Bonaparte!* [...] *Je
désire le retour du roi de toute mon âme.* » Et voici
la remarquable épître que, le 12 juin 1815 (2),
Mme de Staël adresse à Mackintosh :

(1) Retour au vocabulaire de 1814 : « *Celui qui est
en dehors de la nature humaine* » (Mme de Staël à Benjamin
Constant, 8 janvier 1814).
(2) Ce même 12 juin 1815, Germaine écrivait aussi
au duc d'Orléans. Bernadotte n'étant plus en piste,
Mme de Staël se demandait si, après tout, Louis-Philippe ne serait pas, pour elle, le souverain le plus agréable.
(Il y aurait beaucoup de choses à mettre au clair, sur
Mme de Staël et les Orléans, depuis 1789). Elle lui
disait, le 12 juin, qu'elle eût souhaité qu'il fût, lui, « *la
main dont Dieu daigne se servir* » pour apporter le bonheur
à la France. Nous n'avons pas sa lettre, mais nous
connaissons la réponse. Elle est datée de Twickenham,
3 juillet 1815; l'on y découvre que Germaine avait
chargé Victor de Broglie, et Auguste, de diverses
« commissions » auprès de ce gagnant possible. Auguste,
lui dit Louis-Philippe, était alors, tout « *occupé du rêve
dont je vois que votre indulgence pour moi vous faisait encore
caresser l'espoir le 12 juin, but I am sorry to say that it is
quite out of the question* ». La réponse de Louis-Philippe

Vous ne pouvez vous faire une idée de la triste situation où me met mon courage (1). En refusant les avances de Bonaparte, je m'expose, ici [à Coppet], parce que je suis sur la frontière; et peut-être que l'on me sait mauvais gré, ailleurs, de la conduite de Benjamin Constant et de Sismondi. Cependant c'est à moi qu'est due la première partie de la conduite de Benjamin, son article du 19 mars [*sic*], et j'ai rompu avec lui depuis qu'il est conseiller d'État [*sic*].

On m'a promis que, si j'allais à Paris, je serais payée de mon dépôt. Je m'y suis refusée. Faut-il, de plus, être l'ennemie de la France? Souhaiter qu'elle fût démembrée? Non, en vérité, je ne le puis et, comme je le disais à Londres, je ne sais comment concilier ma haine et mon attachement (2).

nous apprend également que Mme de Staël n'avait pas manqué de se rendre hommage quant à l'intraitable fierté qu'elle avait opposée aux avances de Napoléon (« *Je suis enchanté de tout ce que vous me dites de votre noble conduite envers Napoléon* ») et qu'elle écrasait de son mépris les Constant et les Sismondi; Louis-Philippe la trouvait même bien sévère. (« *Je ne vais pas si loin que vous dans la censure de vos amis* »).

(1) Cf., dans la lettre du 9 juin, à lord Harrowby : « *Je n'ai pas besoin de vous dire, j'espère, que ni les promesses ni les menaces qui m'ont été faites* [?] *pour me faire venir à Paris n'ont pu m'y décider.* »

(2) Cf., dans la lettre à lord Harrowby : « *Cette affreuse alternative de trahir son pays ou de seconder un tyran me condamne à l'inaction la plus complète.* » « Inaction » relative.

Quel malheur que le retour de cet homme ! La boîte de Pandore a répandu moins de maux. Je ne suis pas étonnée que, dans votre parti, il y ait eu division. Si j'avais été appelée à dire mon avis dans le Conseil anglais, je ne sais quel il eût été. Je crois que j'aurais essayé le blocus continental pour exciter un mouvement en France. Le pays en est très près. La Chambre des Représensentants est assez bonne; sans la haine des étrangers, je crois qu'ils attaqueraient l'homme; et cependant je ne voudrais pas la paix avec lui. Si l'on était sûr que les amis de la liberté et de l'intégrité de la France fussent soutenus par vos ministres, je serais pour la guerre, mais lord Castlereagh est un ministre continental.

Le mariage de ma fille est suspendu, car M. de Broglie n'a plus rien et je ne puis donner que la moitié de ce que je donnais. Enfin il n'y a point d'événement dans l'Histoire qui ait fait passer ainsi la nature humaine dans l'enfer [...] (1). Bénissez Dieu d'être Anglais !

(1) Ici Germaine s'abandonne au lyrisme désespéré : « *Si l'on était mort, on ne pleurerait pas du matin au soir ainsi que je le fais depuis trois mois.* » Puis, retrouvant son sens pratique, elle demande à Mackintosh d'aider John Rocca à vendre au mieux un livre qu'il essaie de faire imprimer en Angleterre. « *Soyez assez bon pour faire donner par Murray quelque argent du récit* [composé par] *M. de Rocca.* » Il y a là, précise Germaine, « *ce qui est très rare, des lettres inédites du prince de Suède.* » (Bibliothèque de Genève, mss Staël).

C'est vrai, je la crois divisée, Germaine, en
1815 comme en 1814, devant le malheur de la
France. Un peu; pas beaucoup; un peu tout
de même, et presque sincèrement affligée (1).
C'est une tristesse qui lui sied et qui lui apaise
l'âme. Elle eût préféré que ses millions lui arrivassent par une autre voie que celle des « cosaques ». Mais quoi! Le destin a de ces duretés.

Waterloo arrangera tout (2). « *L'on ne peut
s'empêcher, ce me semble, à présent* — écrit Germaine, le plus naturellement du monde, à
Constant, le 21 juillet 1815 — *de désirer le main-
tien du Roi*. » Et elle dit à Meister, le 2 août :
« *Mes affaires* » (la grande affaire, l'unique
affaire, sa « *liquidation* ») sont « *décidées* »; il
n'y a plus qu'à toucher l'argent, quand le roi
le voudra. Mais cette pauvre France! « *Chacun*

---

(1) Mme de Staël n'a pas daté ces lignes — elles sont
des derniers jours de mai 1815, je pense, ou des premiers
jours de juin — qu'elle adressait au colonel Guiger,
propriétaire du château de Prangins, et dont tous les
vœux allaient au succès de l'Empereur (« *votre héros,
qui n'est pas le mien* », lui disait Germaine) : « *On croit
que les hostilités sont encore retardées pendant quinze jours
ou trois semaines* [...] *Ne vous semble-t-il pas que la France
se divise? Si l'on pouvait s'accommoder!* » (Bibliothèque de
Genève, mss Staël).

(2) Un cousin de Benjamin, Victor, figurait à Waterloo. Il était aide de camp dans l'état-major de Wellington.

s'essaye contre elle [à présent] *comme contre le lion qui n'a plus ni les griffes ni les dents* » (à Astolphe de Custine, 15 août 1815; lettre inédite) (1). Impuissante comme elle l'est, congénitalement, à ne pas se jeter à la tête des vedettes, Germaine n'en a pas moins, le 9 août 1815, adressé au vainqueur de Waterloo cette lettre éperdue d'amour : « *Mylord, il y a eu de la gloire dans le monde, mais sans reproche, mais sans mélange, mais reconnue et sentie universellement, je ne sais s'il en existe un autre exemple* [...] *Vous devez éprouver un avant-goût de l'autre vie. Le cœur ne vous bat-il pas de joie, en vous réveillant chaque matin et en songeant que vous êtes vous?* » Pour finir : « *Permettez-moi de vous offrir les sentiments sans bornes que vous m'inspirez.* » Post-scriptum : « *Dès que le contrat de ma fille, qui tient à ma liquidation, sera décidé, nous reviendrons. Il faut que je*

---

(1) Le 20 mai, la Suisse avait conclu avec les Alliés un pacte contre Napoléon et, après Waterloo, des troupes suisses pénétrèrent en Franche-Comté. Mme de Staël avait trouvé la chose déplaisante. Nous aurons donc, nous Suisses, écrivait-elle le 2 août 1815, à Meister, « *tout sauvé* », dans cette grande aventure, « *à l'honneur près.* » Et elle contait à son correspondant cet apologue de Schlegel : « *Un homme se vantait d'avoir coupé un bras à son ennemi. — Et pourquoi vous en êtes-vous tenu là? lui disait-on. — Ah! répondit-il, c'est qu'un autre lui avait déjà coupé la tête.* »

vous revoie. L'âme s'agrandit en vous contem-
plant » (1).

(1) Le brouillon de cette épître portait ceci : « *Qui
de nous aurait pu croire, lorsque nous avions le bonheur de vous
voir à Paris cet hiver, que votre renommée n'était pas à son
plus haut point de splendeur? Cependant on dirait que Bonaparte n'a reparu sur la terre de France que pour ajouter à
votre gloire.* » Il est juste d'observer que Mme de Staël
invitait Wellington à se faire le modérateur des appétits
continentaux. La France, lui disait-elle, est « *encore digne
de respect; [...] Devenez son défenseur vis-à-vis de ceux qui
voudraient l'accabler.* » De même, le 9 juin 1815, à lord
Harrowby : « *Ne démembrez pas la France! Ne l'humiliez
pas!* »

ÉPILOGUE

De Mme de Staël au landamman Pidou, chef du gouvernement vaudois, le 5 août 1815 : « *Benjamin Constant était sur la liste des exilés. Il a écrit au Roi* (1), *qui l'a rayé de sa main.* »

(1) Dans son *Mémoire* à Louis XVIII, du 21 juillet 1815, B. C. suppliait qu'on ne l'obligeât point à s'expatrier. « Quelque peu important que je puisse être, un proscrit le devient toujours. » Au reste, que Louis XVIII le sache bien, B. C., même « proscrit », se ferait une loi de ne jamais parler contre son pays, quelle que soit, à son égard, l'injustice du Pouvoir. « *Je ne veux pas offrir à six cent mille étrangers le spectacle d'un Français luttant contre le gouvernement français* » — attitude, comme on sait, qu'il s'était scrupuleusement interdite sous l'Empire.

B. C. n'était pas de ceux dont il parlait avec humour à Mme Récamier et qui, s'étant compromis avec Bonaparte, montraient après Waterloo, effarés, « une tendance admirable à se laisser pendre » (lettre XCII). Quant à lui, sautant à nouveau sur la branche Bourbon, il expliquait, caressant, à Juliette : « *Je désire me vouer à votre cause, qui est noble, mais surtout qui est vôtre* » (lettre CII); et il ajoutait, positif et pressé : « *Un gouvernement qui répare une injustice* [lire : qui a bien voulu me rayer de sa liste de proscriptions] *est tout près de faire mieux* [lire : de me nommer à quelque bon poste]. *Le*

De la même, au même, 22 novembre 1815 :
« *Mon inscription a été délivrée à mon fils.* » Germaine récupère déjà un million. On lui en doit
« *quatre* », maintenant, d'après ses calculs ; mais
« *l'extrême bonté du Roi* » lui est acquise.

Les Broglie sont rassérénés et Albertine deviendra duchesse, le 20 février 1816.

moment est donc décisif pour moi. Faites agir Mme de Luynes.
je vous devrai tout. »

APPENDICE

Le 21 mars 1810, à Coppet, B. C. a signé
— sur papier timbré aux armes du canton de
Vaud — un « acte » attestant qu'il a reçu de
Mme de Staël, en prêts successifs, une somme
totale de 80 000 livres (32 millions de francs-
1959). Il s'engage à inscrire cette somme sur
son testament — cette somme même; point
d'intérêts prévus — au bénéfice de Mme de
Staël ou de ses enfants, à la condition toutefois
qu'il n'ait pas, lui-même, d'héritier direct. Admirable arrangement que lui a consenti la facilité de Mme de Staël dans les affaires d'argent
lorsqu'il s'agit de ses amants.

Le 1er juillet 1814, en vue du mariage de
leur fille, Albertine, avec Victor de Broglie,
Mme de Staël, pour la première fois, parle à
Benjamin de sa dette. Elle souhaiterait qu'il
fît un geste en faveur d'Albertine. Note du
Journal intime de B. C., ce 1er juillet 1814 au
soir : « *Mme de Staël m'a proposé de lui assurer
le paiement de ce que je ne lui dois pas. C'est fort !*
[...] *Prenons vite un parti pour dénaturer ma fortune* » et « *filons doux.* » Toute l'attitude de
Constant à l'égard de Mme de Staël, depuis

qu'il avait cherché, faute de pouvoir devenir
son mari, à s'éloigner d'elle, avait été commandée par ce souci majeur : *filer doux*. Obser-
vance d'une précaution, égale à une loi, qu'il
résumera, de la manière la plus claire, dans une
lettre du 23 décembre 1814 à sa cousine Rosalie :
« *Avec l'existence de Mme de Staël, son immense
entourage et son éloquence, je serais fâché d'être
brouillé avec elle.* » Mme de Staël a *lancé* Benjamin Constant. Sans elle, il n'eût jamais eu,
Vaudois obscur, cet accès à la France qu'elle
lui a ouvert, ces relations parisiennes qu'elle
lui a procurées. Ce qu'elle a fait pour lui, elle
peut le défaire. Et B. C. n'a pas cessé de vivre,
devant elle, dans la terreur de représailles,
horribles pour son ambition, si Mme de Staël
devenait jamais son ennemie. En 1814, B. C.
en est encore là, car il n'est rien, ou à peu près
rien, à Paris. Un demi-raté, toujours, et ce n'est
certes pas le moment d'irriter Mme de Staël
contre lui. Il continuera donc, envers elle, à
dissimuler comme il l'a fait depuis cette funeste
année 1807 où il a pris son parti — le mariage
avec Germaine s'étant révélé définitivement
impossible — d'épouser Charlotte de Hardenberg.

Journal intime, 14 novembre 1814 : « *Mme de
Staël [...] Elle me hait, au fond, et je le lui rends.
Mettons ma fortune à l'abri de ses griffes ...] Sous
ce rapport, j'ai de fiers moyens de défense.* » Quels ?
On le verra plus loin.

Le 22 novembre 1814, B. C. achète, sous le
nom de sa femme, pour 32 000 francs (13 mil-

lions-1959) une maison à Paris, nᵒ 6 rue Neuve-
de-Berry.

La « *liquidation* » de la créance Necker parais-
sant en bonne voie, Mme de Staël ne reparle
plus à Constant de ce qu'elle lui avait demandé,
en juillet, pour la dot d'Albertine. Mais la
catastrophe du « Retour » survient et, deux
fois de suite, fin mars puis début avril 1815,
Germaine soulève à nouveau la question. Il
ne s'agit toujours que d'éventualités : « *Si
ce mariage* [Broglie] *a lieu, et si je ne reçois pas
mon argent* [les millions Necker] », que B. C.,
veuille bien aider Mme de Staël à trouver les
200 000 livres impérativement réclamés par
les Broglie pour leur consentement. B. C.
a reconnu, en 1810, avoir reçu, en tout,
80 000 francs de Germaine; qu'il ait la bonté
d'en mettre la moitié à la disposition de sa
fille, et, si le versement de 40 000 francs *cash*
le gêne, alors, disons « 2 000 *francs de revenu* »
qu'il assurera à Albertine.

Fidèle à sa tactique, Constant « *promet* » les
40 000 francs, persuadé qu'il est, à cette date,
que l'Empereur est sur le point d'acheter Germaine en lui payant ses deux millions et qu'en
conséquence, sa « promesse » personnelle ne
court nul risque d'être suivie d'effet. Le 17 avril,
Mme de Staël le remercie : « *Je suis fâchée
d'accepter le sacrifice de 40 000 francs que vous
voulez bien faire à mes intérêts actuels.* »

Mais la guerre s'annonce. Napoléon aura,
pour y faire face, de telles charges financières
qu'il ne payera certainement pas Mme de Staël

de sitôt, et B. C. s'aperçoit qu'il a eu grand tort
d'accorder à Mme de Staël cette promesse par
laquelle il comptait bien ne s'engager à rien.
Le 30 avril, Germaine le presse : plus que
« *quatorze jours* » [?], dit-elle, « *quatorze jours
durant lesquels le sort de ma fille doit être réglé* »
(quelque manœuvre Broglie vraisemblablement;
la fixation d'un *dernier délai*, passé lequel tout
serait rompu). Plus d'autre issue pour B. C.
que la dérobade. Mme de Staël sera furieuse?
Tant pis! Benjamin Constant n'est plus l'in-
dividu chétif qu'il était encore il y a deux mois.
Il est quelqu'un, maintenant. Il est conseiller
d'État; il a la confiance du Maître, et, derrière
lui, toute la puissance de l'Empire restauré.
Si la Staël montre les dents, B. C. recourra à
ces « *moyens de défense* » auxquels il songeait,
dès novembre, et il n'hésitera pas à les mettre
en œuvre avec une aisance désormais sûre de
leur efficacité.

Constant commence, cependant, par un essai
de fuite à l'amiable. Il est désolé; il n'a plus
ces 40 000 francs qu'il croyait, hier, disponibles;
il ne s'était aventuré à les offrir que « *dans l'espoir de devenir député* », et il n'a pas été élu (1);
d'autre part, sa situation présente « *ne saurait
avoir de durée* ». Germaine rétorque : député?
« *Mais vous êtes conseiller d'État; cela rapporte
plus* »; pas de durée? « *Mais puisque vous dites
vous-même que l'Empereur est invincible, que crai-*

(1) B. C. s'était présenté à une élection complémen-
taire dans la Seine. Il n'avait pas obtenu vingt voix.

gnez-vous? » Benjamin, Benjamin, « *pensez à Albertine* »; « *aimez-la, elle, du moins!* »

B. C. risque une tentative chez Gaudin, l'homme des Finances (10 mai). Si tout de même, par miracle, le gouvernement impérial voulait bien verser son argent à Germaine, la bagarre imminente serait évitée et Constant ne demanderait pas mieux. Qu'il débourse, lui, pas question; mais l'Empereur, malgré la guerre, peut-être... Vain espoir. Et Mme de Staël parle à présent (15 mai) de consultation juridique, de procès si c'est nécessaire; elle écrit : « *Je vous ferai tenir votre promesse si je le puis; et si je ne le puis pas, nos deux conduites, au moins, seront connues.* » Il n'y a plus pour Benjamin que les grands moyens, les « fiers moyens ».

L'idée avait dû lui en venir dès le mois d'août 1814. Une lettre de Germaine, datée du 24 août 1814, fait allusion à « *une chose* » qui, dit-elle, « *me trouble beaucoup* »; et cette lettre de 1814 s'éclaire par une autre, de cinq ans antérieure, que l'on trouve dans la correspondance Germaine-Benjamin-Hochet, publiée par Jean Mistler (p. 161). Mme de Staël a eu, dans sa prime jeunesse, une aventure avec Guibert (eh oui, le cher Guibert de Julie de Lespinasse); on en voit la trace dans une de ses lettres à son mari, en 1787(1). Or le bruit a couru, pendant l'été de 1809, que la veuve de Guibert songeait à publier, très carrément, très vilainement, les billets tendres adressés jadis par Ger-

(1) Cf. *Revue des Deux Mondes*, 15 juin 1932.

maine à ce bel homme (« *publication inouïe* », « *indignité sans exemple* »; c'est Constant, en 1809, qui parle ainsi à Hochet). La vilenie n'a pas eu lieu. J'ai bien l'impression que c'est le même péril qui reparaît, sous les pas de Mme de Staël, en août 1814. « *Je ne sais pas*, dit-elle à B. C. le 24 août, *si c'est une manière d'extorquer de l'argent ou si j'ai vraiment cette horreur à craindre* »; « *vous sentez quel mal cela pourrait faire* »; « *c'est pour ma fille que je suis troublée.* » Assurément, le mariage Broglie eût été fort compromis par un scandale de cette espèce.

Au mois de mai 1815, acculé à ce « procès » dont Germaine le menace et qui lui serait extrêmement désagréable, résolu tout à fait, par ailleurs, à ne pas donner un liard à Albertine, Constant estime le moment venu d'user, pour se couvrir, du procédé même dont il a pu deux fois mesurer à quel point son effet sur Mme de Staël serait coercitif. Si la veuve Guibert, avec les papiers laissés par son mari, a entre les mains un trésor virtuel, Constant, lui aussi, garde en portefeuille des documents inestimables : les ardents messages qu'il a reçus jadis de Germaine. Il les a déjà montrés à l'Empereur, pour le divertir (1), mais ils peuvent avoir un emploi infiniment meilleur; de quoi terrifier la Staël; s'il les produit au jour, s'il les laisse seulement un peu courir le monde, en copies, adieu le mariage Broglie !

(1) Nous le savons par Gourgaud.

Quelques précautions à prendre, toutefois,
du côté familial. Dans une lettre (inédite) à
sa belle-mère Marianne, B. C. déclare, le 27 mai,
au sujet de la dame : « *Je la crois, ou plutôt la
sais, capable de tout. Mais qu'y faire? Je reste
immobile et j'attends.* » C'est très précisément
parce qu'il n'est pas demeuré « immobile »
qu'il émet ce nuage protecteur. La famille
doit ignorer (1) ce qu'il vient de faire à l'adresse
de Mme de Staël, laquelle en est avertie le
28 mai. Elle a reçu le choc en pleine poitrine;
un coup imprévisible, si brutal et si mons-
trueux qu'elle en a d'abord perdu le souffle.
De Mme de Staël à Benjamin Constant,
28 mai 1815 : « *Vous me menacez de mes lettres!
[...] Menacer une femme, pour ne pas payer l'argent
qu'on lui doit, de lettres intimes qui peuvent compromettre elle et sa famille, c'est un trait qui man-
quait à M. de Sade!* » (2). B. C. ne s'en est pas

(1) Lady Blennerhasset, jadis, pour son grand
ouvrage : *Madame de Staël et son temps*, feuilletant, à
la rencontre, et sans s'y appesantir, ce que l'on connaissait alors des lettres de B. C. à sa famille, n'en avait pas
moins eu vite fait de découvrir les transpositions
curieuses auxquelles se livrait Constant dans ses lettres
à Rosalie et à Mme de Nassau. Benjamin Constant,
dit-elle, « *trompait les siens sur la nature de ses relations
d'affaires avec Mme de Staël* » (*op. cit.*, III, 632, en note).
   Il n'y parvenait, du reste, que d'une manière incomplète. « *Il avait l'art de tromper* », écrira Rosalie elle-
même; il me trompait, moi Rosalie, « *plus que les autres* »
et « *pour ne pas m'avouer dupe* », je le disais « *faible* » et
changeant. (*Correspondance B. C.-Rosalie*, p. 104.)
   (2) On ne saurait trop apprécier l'effort émouvant
tenté par le dernier narrateur des *Amours de Benjamin*

tenu là. Cette fâcheuse qu'il tient maintenant à
sa merci, Constant s'est octroyé l'agrément
supplémentaire de lui cracher la vérité au visage
sur la fatigue et le dégoût qu'il a eus d'elle,
bien vite, pendant leur interminable liaison où
elle n'est parvenue à le retenir que « *par des
services d'argent* ». A quoi Germaine répondra
qu'elle le croit volontiers, mais qu'il est tout
de même prodigieux, si vil que l'on soit,
d'oser cet aveu de parasite.

Mme de Staël se débat. Non, je ne recu-
lerai pas ! Ce procès aura lieu ! « *Quand il
sera prouvé, aux yeux de l'Europe, que vous me
devez* 80 000 *francs, dont* 34 *à mon père pour
Hérivaux,* 18 *pour votre billet pour Vallom-
breuse,* etc... (1) — *et point d'intérêts depuis dix
ans* — *je déclarerai qu'une femme ne peut pas s'exposer à la menace d'un homme de publier ses lettres
et ce nouveau moyen de s'enrichir sera connu, car,
avant vous, personne n'eût osé le concevoir* » (2),

Constant pour disculper son héros. Selon M. Levail-
lant (p. 205), Constant n'aurait songé qu'à produire,
dans un « procès éventuel », d'innocentes lettres de
Mme de Staël, des lettres d'affaires, prouvant qu'elle
se méprenait, qu'il ne lui devait rien, Constant ne voulant qu' « attester » ainsi sa « bonne foi » *(sic)*.

(1) Hérivaux, c'est l'ancienne abbaye, devenue « bien
national », dont Constant s'était rendu acquéreur, près
Luzarches, en 1796, grâce au « prêt » que Mme de Staël
avait obtenu de Necker en faveur de son amant. Val-
lombreuse est une propriété en pays de Vaud que Constant avait achetée, en 1805, de moitié avec sa tante Nassau. Sa part dans l'achat, il l'avait réglée avec l'argent
de Germaine.

(2) Le 12 juin, Germaine reçoit une nouvelle lettre

Vain tumulte, mené d'ailleurs à voix très basse.
Le 31 mai, Constant notait dans son *Journal* :
« *Lettre furieuse de Mme de Staël. Je l'attends, et
je l'écrase.* » Mais il sait bien qu'elle ne bougera
pas et n'ira point devant la justice, garrottée
qu'elle est par l'épouvante. Il a gagné. Il tient
ferme ses 40 000 francs. Germaine a consulté,
malgré tout, son ami Secrétan, le juriste. Elle
lui a envoyé, le 5 juin, l' « acte » signé par Benjamin en 1810. Secrétan lui fera connaître,
le 25 juin, son opinion de spécialiste, qui serait
encourageante (« *cet acte*, écrit-il, *présente des
clauses tellement extraordinaires qu'elles font néces-
sairement présumer quelque déguisement dans l'entendu des parties et sur la nature du contrat même* »);
mais entre le 5 et le 25 juin, Waterloo est
intervenu; autrement dit Louis XVIII revient;
autrement dit, les millions-Necker se rap-
prochent. Germaine respire; et B. C. pourra
mander, un mois plus tard, à Rosalie :

de B. C. dans laquelle il lui déclare, en ricanant, qu'il n'a
jamais pu « *aimer une femme trois mois* ». Ce 12 juin, elle
écrit : « *Si vous croyez que je devais vous payer le plaisir de votre
entretien, mon père vous devait-il 34 000 francs pour cela?* »
Cette phrase en évoque une autre, celle-là de B. C., dans
son *Journal intime*, sous la date du 24 mai 1814. Constant
venait de donner lecture à Mme de Staël de son poème :
Le Siège de Soissons (texte consternant, d'une misère de
style et de pensée incroyable chez l'auteur d'*Adolphe*)
et il notait, plein d'aigreur : « *On voit bien qu'elle ne
m'aime plus, car elle ne m'a presque pas loué. Elle ne loue que
ce qui fait partie d'elle-même, l'homme qu'elle entretient, par
exemple.* » Et, malheureusement, ce n'est plus lui, alors,
l'entretenu.

Mme de Staël « *renonce à ses prétentions* ».

Quelques mots, tracés par Germaine dans sa lettre du 28 mai, peuvent servir de conclusion à ce remarquable épisode, définitivement instructif sur le personnage même de Constant. Des mots qui disent tout : « *L'argent seul dispose de votre vie politique et privée* » (1).

(1) Coulmann, thuriféraire de Constant, mais qui sait beaucoup de choses sur ses comportements financiers (encore ne sait-il pas — Rudler le révélera — ce que B. C. tirait, dans l'ombre, du duc d'Orléans; mais il n'ignore ni la « saison » payée par Martignac, ni l'octroi, discuté en Conseil des ministres, des 200 000 francs — quelque 120 millions-1958 — qu'avait demandés B. C. à Louis-Philippe, après la Révolution de juillet, pour prix de ses services; Coulmann est ici un témoin direct, car il a entendu, député, le général de Rumigny, aide de camp du roi, censurer devant lui l'attitude de Constant au lendemain de cette gratification insigne) COULMANN avoue tristement, dans ses *Réminiscences* (III, 40), que l'argent fut, hélas, la « *cause principale des faiblesses* » [*sic*] que nous avons, dit-il, « *à déplorer chez Benjamin Constant.* »

TABLE DES MATIÈRES

PARIS

TYPOGRAPHIE PLON

8, rue Garancière

Dépôt légal : 2ᵉ trimestre 1959.
Mise en vente : Avril 1959.
Numéro de publication : 8339.
Numéro d'impression : 7961.

LES MÉMOIRES DE TALLEYRAND

C'est toujours, sans sourire et sans abandon, le personnage qu'il a voulu être qui parle, avec la gravité et la hauteur du doctrinaire, en homme sûr de ce qu'il sait, et qui raconte en historien objectif et en juge grave les choses d'autrefois dont il a été le témoin ou parfois l'acteur. Dans ces *Mémoires*, Talleyrand emploie le ton souverain de l'histoire.

Émile HENRIOT
Le Monde.

Les Mémoires de Talleyrand restent un document essentiel. Sur l'adolescence et la jeunesse de l'auteur, sur la société française d'avant 1789, sur les grands personnages de son temps, il y a des pages très fines qui donnent la clé cachée du caractère de Talleyrand. Cette nouvelle édition nous offre un appareil documentaire remarquable. Nous pouvons donc enfin replacer ces *Mémoires* introuvables à côté des plus grands.

Christian MELCHIOR-BONNET.
Historia.

Si l'homme est peu estimable, le politique se révèle, dans ces *Mémoires*, plus clairvoyant encore qu'on ne pensait. Il aperçoit les fautes dans le moment même qu'elles sont commises. Il est l'un des premiers à avoir eu l'esprit vraiment européen. Il voyait loin, très loin, par dessus un siècle ou deux.

Le Figaro Littéraire.

Dans ces *Mémoires*, l'homme est présent partout, ne serait-ce que par son style, son esprit, son impertinence distinguée, sa manière feutrée de se donner et de se reprendre, tout ce qu'il a, avec tant de bonne grâce, de retors et de précautionneux, tout ce qu'il a aussi de justesse et de modération dans le jugement, de calme et de sang-froid dans l'action.

R.-G. NOBÉCOURT
La France catholique.

PLON

Imprimé en France. — TYPOGRAPHIE PLON, PARIS. — 1959. 68936. — *Printed in France.*

660 F + T. L.